Anécdotas de un Pastor
en Su taller...
JG FELICIANO '15
Juan G. Feliciano-Valera

D1260632

Anécdotas de un Pastor

Carta al Lector

Amados lectores,

En estas páginas recojo anécdotas y relatos de sucesos que me impactaron durante mi caminar tras el Señor de la vida, para servirle. Las he recogido aquí para rememorarlas y para compartirlas, por si estas experiencias pueden servir de apoyo a otros, en su propio caminar.

Estos relatos no siguen un orden cronológico y no pretenden identificar personas, lugares o circunstancias particulares. Excúseme si no lo he logrado del todo. Los comparto con el fin de poner de manifiesto cómo Dios irrumpe en nuestras vidas cuando menos lo esperamos, como parte de nuestro aprendizaje en la *escuela de la humildad* en la que Él nos ha matriculado.

Dios siempre ha estado a nuestro lado mientras fluimos por la existencia, pero llega un día en que nos hace detener. Recordemos que fue Jesús, el Buen Pastor, quien interrumpió las labores cotidianas de unos pescadores para hacerlos pescadores de almas; quien le salió al paso a un cobrador de impuestos para que administrara los negocios del Reino; quien detuvo la tediosa labor de una mujer que sacaba agua de un pozo, para darle a beber agua viva que salta para vida eterna. Y ¡gloria a Dios!, fue Jesús quien un día interrumpió mi deambular por el desierto de una vida angustiada por la falta de preguntas sin respuestas. Me detuvo con amor, respondió a mis interrogantes y me mostró el sendero.

El Cristo que nos detiene nos da el privilegio de portar Su presencia y compartirla con aquellos que necesitan de Él porque aún no le han conocido o no comprenden su llamado. ¿Estamos listos, dispuestos y disponibles para ser el dulce aroma de Cristo para los demás? Les invito a que al finalizar cada anécdota tomen unos minutos para hablar con el Señor. Tal vez les sirvan en su propio caminar tras Sus huellas...

Su hermano en Cristo,

Juan G. Feliciano Valera

Dedicatoria

Dedico este libro a mi hijo Juan Urayoán Feliciano-López. Nació en San Juan, Puerto Rico un 5 de julio de 1977. Fue un niño muy feliz y un joven muy inteligente. Estudió en la Universidad de Puerto Rico y trabajó en diversas industrias y actividades. Amó a su tierra y a los animales. Falleció a los 43 años el 3 de agosto de 2020 en San Juan, Puerto Rico. (QEPD).

Agradecimiento

AGRADEZCO...

A todos aquellos y aquellas que me educaron, me corrigieron y me acompañaron en el Camino...

A todos los hermanos y hermanas de las iglesias donde tuve el privilegio de pastorear y que tanto me enseñaron...

A mi querido hijo Juan Urayoán (QEPD) y a mis queridas hijas Ana Yari, Yariana y Mariana, joyas de mi corazón...

A mi amada esposa, Anamaris... Sin ella, ¿cómo haber conocido al Señor y transitado esta senda?

Y, sobre todo, a Jesús, quien me dio estas las experiencias que hoy les cuento y que tal vez les hagan llorar o sonreír....

Introducción a las Anécdotas de un Pastor

En este libro recojo anécdotas, historias, relatos, cuentos, recursos y otros recuerdos que me han impactado en mi caminar sirviendo al Señor de la vida, a mi buen Jesús. Los escribo con la sola intención de compartir e impactar a otros y otras con el aliento con que me impactaron a mí. Desde ahora me excuso si he olvidado el autor o autora de alguno de estas anécdotas. Dios no se olvida.

Estas anécdotas no siguen un orden cronológico y no pretenden identificar a ninguna persona en particular. Todos los relatos son anecdóticos y se han cambiado nombres, lugares y circunstancias para no afectar a ninguna persona. Si se me ha escapado algún detalle y alguien se da por aludido, me excuso y pido disculpas.

En relación con los demás, la Presencia de Dios se practica cuando estamos dispuestos a dejarnos interrumpir por ÉL. Esta es parte de la escuela de la humildad. Así se dejaron interrumpir los pescadores que fueron llamados, el cobrador de impuestos, la mujer samaritana, los Caminantes a Emaús, también las mujeres que fueron al sepulcro de Jesús, El Buen Pastor.

Cristo nos ofrece el privilegio de ser Su Presencia en la vida de quienes necesitan de nosotros. ¿Estamos listos, dispuestos y disponibles para dejarnos interrumpir por Dios? Somos el dulce aroma de Cristo para los demás.

Una recomendación final: al finalizar cada anécdota debe tomar unos minutos para reflexionar y orar para que Dios se glorifique en su vida y en la de los demás. Es mi anhelo que estas anécdotas sirvan como recursos en la predicación, exhortación y enseñanza.

Que así nos ayude Dios.

**Los dibujos que acompañan a este texto fueron realizados por el autor del libro.*

SOBRE EL AMOR

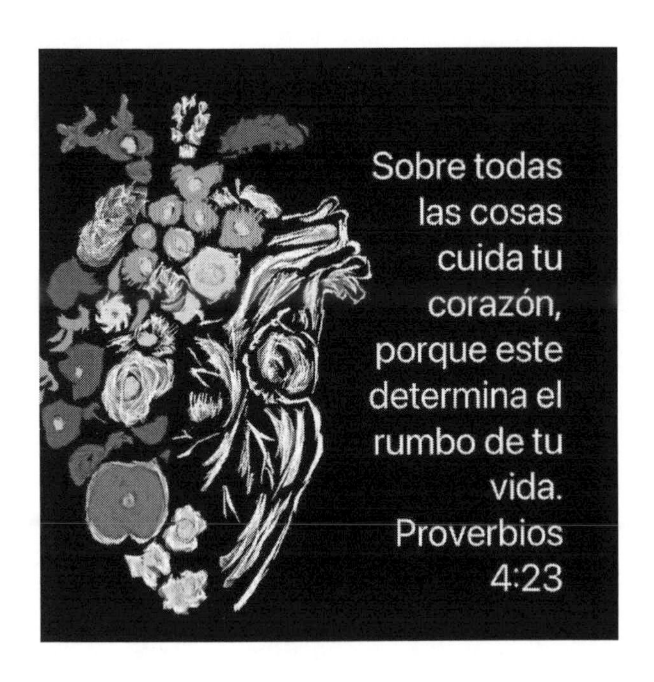

El Poder de Su Amor

Tenía treinta años y me habían contratado como profesor en la Universidad. Había completado dos bachilleratos, dos maestrías y los cursos requeridos para el doctorado en Educación. Me sentía orgulloso de que los últimos estudios los había hecho en la prestigiosa Universidad de Harvard. Ante las demás personas, yo era un joven adulto exitoso y realizado, pero la verdad era que yo andaba con el corazón decaído, desesperanzado y triste.

Tenía un hermoso hijo. Vivía bien, conducía un buen auto y era respetado en la comunidad. Entonces, ¿qué me aquejaba? ¿Qué causaba mis desvelos y mi desencanto? Es cierto que debía lidiar con algunos problemas, pero ni uno solo justificaba aquella desazón. ¿Qué era lo que me faltaba?

Durante mi infancia y adolescencia, fui popular entre mis compañeros y amigos. Tardé mucho tiempo en comprenderlo, pero hoy puedo ver complejos, emociones en conflicto y una autoestima que se arrastraba conmigo por el suelo. En mi alma padecía de una profunda soledad. Lejos estaba yo de imaginar que Dios me amaba a pesar de cómo estaba y de cómo era y de que Él quería otra vida para mí.

El sueño de Dios era que yo tuviera como modelo al varón perfecto que es Cristo Jesús, su Hijo, a quien yo aún no conocía. Pero ese proceso comienza con un granito de fe que a mí aún me faltaba. La Biblia dice que la fe viene por el oír la palabra de Dios y, en su misericordia, Dios permitió que un día alguien me hablara. Era una jovencita que ni siquiera aparentaba estar ya en la Universidad.

—Profesor, Dios lo ama como es —me dijo—, pero lo quiere hacer como Jesús.

Sus palabras fueron cándidas y sencillas. No recuerdo si le respondí, pero aquellas palabras cambiaron mi vida para siempre. Se quedaron en mi subconsciente y fueron saciando el hambre de mi corazón. Poco a poco se fortaleció mi frágil estima propia, las ventanas de mi entendimiento se abrieron a la verdad y la angustia existencial que me atormentaba se desvaneció de mis pensamientos.

Ya no tenía que apoyarme en la falsa seguridad del reconocimiento ajeno. El equipaje negativo que cargaba quedó atrás, a causa de la semilla de la fe que el Espíritu había sembrado en mi alma. Era una semilla pequeña, como la palabra misma, pero poderosa para transformarme. Por la fe pude creer que el inmenso sacrificio de Jesús me redimía; y tuve la voluntad para recibirle.

La presencia de Jesús ahuyentó mi soledad y fui sanado de la desesperanza. Es cierto que a lo largo de los años he sufrido y he llorado, pero Él ha estado conmigo en cada prueba, para sostenerme. También he sido, y soy, profundamente feliz cuando le sirvo.

¡A Él sea mi alabanza y mi agradecimiento! Por eso, cuando me llegue el momento de partir, en mi lápida habrán de grabarse estas estas palabras:

Aquí yace un hombre
con un corazón agradecido...

Amor en Una Latita de Leche

Mal vestidos y con hambre andaban los dos hermanitos. Iban por el barrio pidiendo un poco de comida. El menor tendría unos cinco años y el mayor, alrededor de diez. Se acercaron a pedir a un hombre que llevaba horas anclado a la ventana, pero este les contestó de mala forma.

—¡Váyanse a trabajar y no molesten! —les dijo con desprecio; y ellos, desconcertados, siguieron su camino.

—¡Aquí tampoco hay nada! — les gritó otro desde la sala, y les cerró la puerta.

La escena se repitió una y otra vez calle abajo y los niños se entristecieron. Por fin, una amable señora les dijo que iba a ver si tenía algo para darles y se volvió a buscar en su alacena. *Pobrecitos...* murmuró mientras buscaba, y regresó con una lata de chocolatina. Los ojos de los niños se iluminaron y se fueron a sentar en la vereda.

—Toma. Tú primero. Eres el mayor —dijo el pequeño, mostrando una sonrisa. El mayor se llevó la lata a la boca e hizo como que bebía, mirando de reojo al hermanito para asegurarse de que no se diera cuenta. Apretaba los labios contra la lata, para que no le entrara aquella delicia en la boca. Solo dejaba que saliera un poco para macharse los labios y disimular su truco. Luego se la devolvía.

—Ahora tú, ¡pero solo un poquito! — le advertía como para defender su parte. Entonces el chiquitín apresuraba su trago y luego se relamía.

Yo contemplaba la escena, embelesado. Y en ese "¡Ahora tú!", "¡Ahora yo!", el más pequeño, un barrigoncito jabaíto y jovial, acabó toda la chocolatina al quinto trago. Entonces el mayor comenzó a cantar y a jugar al fútbol con la latita vacía. Estaba radiante, aunque con el estómago aún más vacío. Los ojos se me llenaron de lágrimas al ver la generosidad de aquel hermano mayor para con su hermanito. ¡Qué gran lección había recibido!

...

Ese día comprendí las palabras del Maestro: *Quien da sin esperar nada a cambio, es más feliz que quien recibe...*

Las Cicatrices

Era un caluroso día de verano en el Sur de la Florida, y el niño no pudo resistir el nadar en la laguna detrás de su casita. Salió corriendo por la puerta trasera, se tiró al agua y comenzó a chapotear cerca del muelle. Así, entretenido, no se dio cuenta de que un cocodrilo se le acercaba en silencio.

Desde la ventana, su madre vio con horror lo que sucedía y corrió hasta el muelle mientras le gritaba. El niño se alarmó y comenzó a nadar hacia la orilla. La madre llegó a tiempo para asirlo de los brazos, pero el cocodrilo era veloz y lo alcanzó por las piernas. ¿Sería demasiado tarde? La bestia era más fuerte, pero la madre se aferraba a él dispuesta a hasta dejarse arrastrar con su niño.

Un hombre que pasaba cerca escuchó los gritos y llegó a ayudarles. Portaba una pistola. Disparó a la bestia y la madre logró zafar a su hijo de entre las horrendas mandíbulas. El niño sobrevivió milagrosamente, aunque sufrió mucho mientras se recuperaba.

A su salida del hospital, un periodista fue a entrevistarlo y le pidió que le mostrara las heridas. El niño se retiró la frazada y le mostró sus piernas. ¡Tenían muchas cicatrices! El periodista le pidió permiso para tomar fotos, hizo algunas anotaciones y se despidió, dándole las gracias.

—No se vaya! ¡Espere! —le pidió el niño, mientras se arremangaba la camisa para mostrarle. ¡Tenía cinco profundas marcas!

—¿El cocodrilo también te mordió los brazos? — preguntó el periodista.

—¡No! —exclamó el niño, sonriendo —. ¡Son las uñas de mi mamá cuando me agarró por los brazos! ¡Me ama tanto que nunca me soltó y me salvó la vida!

El periodista asintió.

...

Y yo pienso que Jesús tampoco nos soltó cuando estábamos en las horrendas fauces de la maldad. Solo que fue Él quien sufrió nuestro dolor y siempre llevará las cicatrices...

¿Qué es El Amor?

Hace algún tiempo, un grupo de profesionales de la salud mental, le preguntaron a un grupo de niños y niñas, de 4 a 8 años de edad: ¿Qué es el Amor? Y estas fueron algunas de sus respuestas:

1. Cuando a mi abuelita le dio artritis, no podía doblarse para pintarse las uñas de los pies. Así que mi abuelito se las pinta todo el tiempo, aunque él también tiene artritis. Eso es amor.

2. Cuando alguien te ama, la manera en que dicen tu nombre es diferente. Tú sabes que tu nombre está seguro en sus bocas.

3. Amor es cuando una niña se pone perfume y un niño se pone colonia y se unen para olerse el uno al otro.

4. Amor es cuando uno sale a comer y le da al otro la mayoría de tus papitas fritas, sin hacer que el otro te de las suyas.

5. Amor es lo que te hace sonreír cuando estas cansado.

6. Amor es cuando mi mamá le hace café a papi y lo prueba antes de dárselo para saber si está bueno.

7. Amor es cuando tú das besos todo el tiempo y cuando te cansas de dar besos, todavía quieres seguir hablando con esa persona. Mi mamá y mi papá son así. Se ven horribles cuando se besan.

8. Amor es lo que está contigo en el cuarto si, el día de Navidad, dejas de abrir regalos y escuchas.

9. Si quieres aprender a amar mejor, debes comenzar con un amigo que tú odias.

10. Amor es cuando tú le dices a un amigo que te gusta su camisa y entonces, se la pone todos los días.

11. Amor es como cuando una ancianita y un ancianito todavía son amigos a pesar de que se conocen tan bien.

12. En mi concierto de piano, yo estaba en el escenario y tenía mucho miedo. Miré a toda la gente que me estaba mirando y ví la mano de mi papá que se movía y me sonreía. Él era el único que hacía eso. Entonces ya no tuve más temor.

13. Mi mamá me ama más que nadie. Tú no ves a nadie más dándome un beso de buenas noches.

14. Amor es cuando mami le da a papi el mejor pedazo de pollo.

15. Amor es cuando mi mamá ve a papi todo sudado y mal oliente y todavía dice que es más elegante que Brad Pitt.

16. Amor es cuando tu perrito te lambe la cara, aunque lo dejaste solo todo el día.

17. Cuando tú amas a alguien tus pestañas suben y bajan y pequeñas estrellitas salen de ti.

18. Tu no deberías decir "Te amo" a menos que lo sientas de verdad. Pero si lo sientes de verdad, debes decirlo muchas veces, a la gente se le olvida.

19. El niño de 4 años que cuando su vecino, un anciano de muchos años, quedó viudo y al verlo llorar, el niño fue, brincó la cerca y se sentó en su falda. Cuando la mamá le preguntó qué le había dicho al vecino, el niño dijo: "nada, yo solo le ayudé a llorar."

English Version

Love is...

A group of professional people posed this question to a group of 4 - 8-year-olds, "What does love mean?" The answers they got were broader and deeper than anyone could have imagined. See what you think:

"When my grandmother got arthritis, she couldn't bend over and paint her toenails anymore. So, my grandfather does it for her all the time, even when his hands got arthritis too. That's love." Rebecca- age 8

"When someone loves you, the way they say your name is different. You just know that your name is safe in their mouth." Billy - age 4

"Love is when a girl puts on perfume and a boy puts on shaving cologne and they go out and smell each other." Karl - age 5

"Love is when you go out to eat and give somebody most of your French fries without making them give you any of theirs." Chrissy - age 6

“Love is what makes you smile when you're tired." Terri - age 4

"Love is when my mommy makes coffee for my daddy and she takes a sip before giving it to him, to make sure the taste is OK." Danny - age 7

"Love is when you kiss all the time. Then when you get tired of kissing, you still want to be together and you talk more. My Mommy and Daddy are like that. They look gross when they kiss” Emily - age 8

"Love is what's in the room with you at Christmas if you stop opening presents and listen." Bobby - age 7 (Wow!)

"If you want to learn to love better, you should start with a friend who you hate." Nikka - age 6 (we need a few million more Nikka’s on this planet)

"Love is when you tell a guy you like his shirt, and then he wears it every day." Noelle - age 7

"Love is like a little old woman and a little old man who are still friends even after they know each other so well." Tommy - age 6

"During my piano recital, I was on a stage and I was scared. I looked at all the people watching me and saw my daddy waving and smiling. He was the only one doing that. I wasn't scared anymore." Cindy - age 8

"My mommy loves me more than anybody. You don't see anyone else kissing me to sleep at night." Clare - age 6

"Love is when Mommy gives Daddy the best piece of chicken." Elaine-age 5

"Love is when Mommy sees Daddy smelly and sweaty and still says he is handsomer than Brad Pitt." Chris - age 7

"Love is when your puppy licks your face even after you left him alone all day." Mary Ann, age 4

“I know my older sister loves me because she gives me all her old clothes and has to go out and buy new ones." Lauren - age 4

"When you love somebody, your eyelashes go up and down and little stars come out of you." (what an image) Karen - age 7

"You really shouldn't say 'I love you' unless you mean it. But if you mean it, you should say it a lot. People forget." Jessica - age 8

And the final one -- Author and lecturer Leo Buscaglia once talked about a contest he was asked to judge. The purpose of the contest was to find the most caring child. The winner was a four-year-old child whose next-door neighbor was an elderly gentleman who had recently lost his wife. Upon seeing the man cry, the little boy went into the old gentleman's yard, climbed onto his lap, and just sat there. When his Mother asked what he had said to the neighbor, the little boy said, “nothing, I just helped him cry."

Sobre el Amor y el Sacrificio

William Sídney Porter, conocido literariamente como O. Henry, fue un famoso autor norteamericano nacido en la segunda mitad del siglo XIX. Su clásico cuento *El Regalo de los Reyes Magos*, narra la historia de un matrimonio que por esos días atravesaba problemas financieros.

El bien más preciado de Jim era su reloj de oro, estaba labrado por los bordes y tenía una argolla para colgarlo. Había pertenecido a su padre, y antes a su abuelo y ahora é, como no tenía cadena lo cargaba en el bolsillo. Por su lado, el tesoro más preciado de su esposa era su larga y hermosa cabellera. Cuando la peinaba, le llegaba más abajo de las rodillas. ¡A Jim le fascinaba!

La Navidad estaba cerca y -como muestra de su gran amor- ambos querían hacerse regalos especiales. Sin embargo, ellos apenas tenían dinero para suplir sus necesidades inmediatas. Por eso, Jim vendió su valioso reloj para comprarle a Delia unas finas peinetas de carey que ella admiraba y que lucirían preciosas en su pelo. Por su lado, Delia vendió su cabello para comprar una cadena de platino para el reloj de su esposo.

Pensaba, con emoción, el orgullo que sentiría Jim cuando sacara su reloj atado a la brillante cadena como todo un caballero de clase. Hasta ahora lo escondía en la palma de su mano para mirarlo con disimulo.

Pasada la sorpresa inicial, los esposos se abrazaron fuertemente y agradecieron el uno al otro el regalo que habían recibido. ¡Al fin y al cabo, aquellos eran los regalos

los más valiosos que pudieran recibirse jamás! ¡Por amor, ambos habían renunciado a lo más preciado que tenían!

...

Asimismo, hizo Jesús... ¡porque la renuncia, es la forma más elevada del amor!

El Ladrillazo

Un joven y exitoso ejecutivo paseaba a toda velocidad en su auto, último modelo, Jaguar 2022, sin ningún tipo de preocupación. De repente, sintió un estruendoso golpe en la puerta, se detuvo y, al bajarse, vio que un ladrillo le había estropeado la pintura, carrocería y vidrio de la puerta de su lujoso auto. Se subió nuevamente, pero esta vez lleno de enojo, dio un brusco giro de 180 grados, y regresó a toda velocidad al lugar de donde vio salir el ladrillo que acababa de arruinar lo hermoso que lucía su exótico auto.

Salió del auto de un brinco, y agarró por los brazos a un chiquillo, y empujándolo hacia el auto estacionado le gritó a toda voz: ¿Qué rayos fue eso?, ¿Quién eres tú?, ¿Qué crees que haces con mi auto? Enfurecido, casi botando humo, continuó gritándole al chiquillo: ¡Este es un auto nuevo, y ese ladrillo que lanzaste va a costarte muy caro! ¿Por qué hiciste eso? Por favor, señor, por favor. ¡Lo siento mucho! No sé qué hacer, suplicó el chiquillo.

Le lancé el ladrillo porque nadie se detenía... Las lágrimas bajaban por sus mejillas, mientras señalaba hacia el lado del auto estacionado. Es mi hermano, le dijo. Se descarriló su silla de ruedas y se cayó al suelo... Y no puedo levantarlo. Sollozando, el chiquillo le preguntó al ejecutivo: ¿Puede usted, por favor, ayudarme a sentarlo en su silla? Está golpeado, y pesa mucho para mí solo... Soy muy pequeño.

Visiblemente impactado por las palabras del chiquillo, el joven ejecutivo tragó grueso por el nudo que se le había formado en la garganta. Indescriptiblemente emocionado por lo que acababa de pasarle, levantó al joven del suelo, lo sentó nuevamente en su silla, y sacó su pañuelo para limpiar un poco las cortaduras y el sucio sobre las heridas del hermano de aquel chiquillo tan especial. Luego de verificar que se encontraba bien, miró al chiquillo, y este le dio las gracias con una sonrisa que no tiene posibilidad de describir nadie... DIOS lo bendiga, señor... y muchas gracias, le dijo.

El hombre vio cómo se alejaba el chiquillo empujando trabajosamente la pesada silla de ruedas de su hermano, hasta llegar a su casa. El joven ejecutivo aún no ha reparado la puerta del auto, manteniendo la hendidura que le hizo el ladrillazo, para recordarle el no ir por la vida tan distraído y tan deprisa que alguien tenga que lanzarle un ladrillo para que preste atención.

DIOS normalmente nos susurra en el alma y en el corazón, pero hay veces que tiene que lanzarnos un ladrillazo a ver si le prestamos atención. Nosotros escogemos: o escuchar el susurro... o escuchar EL LADRILLAZO...

Recordemos siempre que DIOS nos ama y nos llama para un servicio especial ("divino").
...

¡Asegúrate de responderle hoy!

Una Hermana Así

Una joven ejecutiva cada día estacionaba su auto deportivo, último modelo, en el aparcamiento del edificio donde trabajaba. Tenía lujosos detalles que lo embellecían y que hacían suspirar a un chico que siempre se acercaba para verlo. Una tarde la ejecutiva lo sorprendió embelesado.

—¿Te gusta? —le dijo— ¿Quieres dar un paseo, para que lo pruebes? ¡Mi hermano me lo regaló!

—¡Está precioso! — respondió el chico, impresionado.

—Ya sé lo que estás pensando: "¡Ah, si yo tuviera un hermano así!"

—¡Bendito Dios! —contestó el chico— Me encantaría ir a pasear en su auto, pero no sin mi hermanita. ¡Por favor, vamos a buscarla!

La ejecutiva accedió a la petición y llevó al muchacho hasta su casa. El muchacho se bajó del carro y regresó con la niña a cuestas. Su hermanita no podía caminar. La acomodó con cuidado en el asiento del frente y él se montó en la parte de atrás. La ejecutiva los llevó a pasear, emocionada por el gesto de amor y desprendimiento de aquel chico.

Al regresarlos a la casa, el muchacho le agradeció el paseo y antes de despedirse le comentó:

— Usted me preguntó si lo que yo estaba pensando era que quisiera tener un hermano como el suyo... Pero, no fue así, lo que yo pensaba era... *¡Si yo pudiera ser un hermano como él!* ... ¡Jesús es nuestro hermano mayor!

Sobre el Matrimonio

Un famoso maestro enfrentaba a un grupo de estudiantes que se manifestaban en contra del matrimonio. Unos y otros argumentaban que el romanticismo es lo más importante en la pareja y que si este se apaga es preferible acabar con la relación. ¿Por qué tener que sufrir la hueca monotonía de un matrimonio desabrido?

—Respeto su opinión, les dijo, pero escuchen mi relato.

— Mis padres vivieron casados 55 años. Una mañana mi madre sufrió un infarto cuando bajaba a la cocina para prepararle el desayuno a Papá. Él la levantó como pudo y casi a rastras la subió a la camioneta. Condujo hasta el hospital a toda prisa, rebasando a otros autos y sin detenerse.

—Para desgracia, al llegar Mamá ya ella había fallecido. Durante el sepelio, Papá apenas lloró y se mantuvo en silencio con la mirada perdida. En la noche sus hijos y nietos nos reunimos con él en aquella sala, aquel espacio que tantos recuerdos felices nos traía, a la vez que sentíamos el vacío y la nostalgia de su ausencia.

Mi padre le pidió a mi hermano teólogo que le dijera donde estaría nuestra madre en aquel momento. Él habló de la vida eterna, conjeturando cómo y dónde se encontraría. De pronto, Papá se levantó de la silla y nos pidió que le lleváramos al cementerio.

— Pero Papá, ¡son las 11 de la noche y el cementerio está cerrado! — le dijimos, pero él insistió:

— ¡No discutan con un hombre que acaba de perder a la que fue su esposa durante 55 años! ¡Llévenme, por favor, al cementerio!

Obedecimos. Al llegar al pedimos permiso al velador, orientándonos una linterna. Ya frente a la tumba, mi padre se abajó, se apoyó en una rodilla y acariciando la lápida lloró sobre ella.

—Enfrentamos juntos aquella Gran Depresión que me dejó sin empleo. Hicimos el equipaje, vendimos la casita y nos mudamos a esta otra ciudad. Aquí los vimos crecer, ir a la escuela y hacerse profesionales. Aquí lloramos juntos la partida de nuestros seres queridos y oramos en la sala de espera de uno que otro hospital. Nos apoyamos en el dolor, nos abrazamos alegres en cada Nochebuena, y nos perdonamos nuestras faltas y nuestros errores.

—Ahora se ha ido... pero yo estoy contento porque se fue antes de que yo me fuera. ¡No tuvo que vivir la agonía de enterrarme para quedarse sola después de mi partida! No me hubiera gustado que sufriera esto que yo sufro hoy...

Cuando mi padre terminó de hablar, mis hermanos y yo teníamos los rostros empapados de lágrimas y le abrazamos, pero él ya había dejado de llorar.

—Hijos queridos... Todo está bien. No lloren. Ya podemos ir a casa...

El profesor miró a los estudiantes y añadió:

—Esa noche entendí lo que es el matrimonio y el amor verdadero. ¿Han entendido?

Los jóvenes no supieron qué decir…

Así es el amor de Dios… incondicional y eterno…

Bienvenidos a Holanda

Esperar un bebé es como planear un fabuloso viaje de vacaciones a Italia. Compras guías de turismo y haces unos planes maravillosos. Irás a ver el Coliseo de Roma, el David de Miguel Ángel en Florencia y pasearás en góndola por los canales venecianos. Te prenderás algunas frases en italiano con la expectativa de aprender otras más durante tu visita. ¡Te llena la emoción que provoca la aventura!

Te preparaste durante meses e hiciste las maletas con anticipación. Finalmente llega el gran día. Abordas el avión y muchas horas después la azafata anuncia. "En unos minutos estaremos aterrizando. *¡Bienvenidos a Holanda!" "¿A Holanda?", "¿Cómo que a Holanda? ¡Yo pagué para ir a Italia! ¡Ese ha sido siempre el sueño de mi vida!"*

Ese era tu sueño, pero hubo un cambio en el plan de vuelo. El avión ha aterrizado en Holanda y no tienes más remedio que bajarte. Te resignas. Sales a comprar nuevas guías de turismo y comienzas a aprender algunas frases en holandés, aunque sin mucho entusiasmo.

Lo importante es que no te han llevado a un lugar horrible. Simplemente se trata de un lugar diferente. Es más lento y menos deslumbrante que Italia, pero al cabo de un tiempo te recuperas y empiezas a mirar a tu alrededor. También en Holanda hay cosas hermosas: ¡los molinos de viento... los tulipanes... y las pinturas de Rembrandt!

Mientras, tus conocidos han estado ocupados yendo a Italia. Tú piensas: *"Sí, yo también iba a Italia. Era lo que había planificado, pero en vez de eso llegué a Holanda".* Y quieres contarles sobre los molinos de viento, las pinturas de Rembrandt y los tulipanes, pero ellos se la pasan hablando de su maravilloso viaje.

En fin, siempre añorarás ese viaje que no hiciste, pero no malgastarás tu vida lamentándolo. No llegaste a Italia, pero fuiste libre para disfrutar las cosas encantadoras de Holanda...

...

Este relato fue escrito por Emily Pearl Kingsley, escritora de Plaza Sésamo y madre de un niño con Síndrome de Down...

¿Cuánto vale el tiempo?

Para saber el valor de un semestre, pregúntale a un estudiante que reprobó el examen final...

Para saber el valor de un mes, pregúntale a una madre que ha dado a luz prematuramente...

Para saber el valor de una semana, pregúntale a un editor de la revista semanal...

Para saber el valor de una hora, pregúntales a los enamorados que esperan para verse...

Para saber el valor de un minuto, pregúntale a la persona que perdió el tren, el avión o el autobús...

Para saber el valor de un segundo, pregúntale a quien haya sobrevivido a un accidente...

Para saber el valor de una milésima de segundo, pregúntale al atleta que ganó medalla de plata en las Olimpiadas...

El tiempo vale. El tiempo no espera. No lo desperdicies. Atesora cada momento que tienes y compártelo con alguien que estimes de verdad...

...

La presencia de Dios es real. *"He aquí YO estoy con ustedes todos los días hasta el final"* (Mateo 28:20).

El Paquete de Galletas

Una joven aguardaba la salida de su vuelo. La espera sería larga, por lo que compró un libro y un paquete de galletas. Se sentó a leer, un asiento de por medio de un hombre que leía una revista. Entre ellos quedaron las galletas abiertas sobre el asiento vacío. Tomó la primera y el hombre también tomó una. Ella se sintió indignada. *"¡Qué descarado!*, pensó. *¡Si yo fuera más valiente, le diría hasta del mal del que va a morir, para que no sea tan atrevido!"*

Así, cada vez que ella tomaba una galleta, el hombre también lo hacía. Aquello le indignaba tanto que no conseguía concentrarse en la lectura. Cuando solo quedaba una galleta, se dijo: *"Vamos a ver qué hará ahora este tipo."* Entonces, el hombre partió la última galleta por la mitad y se comió su parte. *"¡Ah! ¡No! ¡En verdad es un atrevido!"* pensó, furiosa, resoplando de rabia.

Desde el terminal anunciaron la partida de su vuelo. La joven cerró el libro, se levantó bruscamente y se dirigió al sector de embarque. El hombre permaneció sentado al lado de la envoltura vacía, pues aquel no era su vuelo. Ya en el avión, la joven fue a buscar algo dentro de su bolso y quedó consternada. ¡Allí estaba, sin abrir, su paquete de galletas! ¡Sintió tanta vergüenza! No recordó que había guardado las galletas, pero aquel desconocido había compartido las suyas sin mostrarse indignado, nervioso, o alterado. Ahora era tarde para pedir disculpas. El avión ya rodaba por la pista.

La joven se hundió en el asiento y recordó algo que había aprendido en teoría: *En la vida existen cuatro cosas que no se recuperan: una piedra que se lanza al agua...una palabra, después de haberla dicho... una oportunidad, que no aprovechamos... y el tiempo que se ha ido...*

La joven había perdido todas: la piedra de su furia lanzada contra el hombre, la palabra expresada en gestos de desagrado, la oportunidad de corregir su error, y el tiempo que ya no regresaría.

...

¡Cuántas veces llegamos a conclusiones erróneas por no haber observado y analizado bien las cosas y cuántas otras inciertas pensamos acerca de la gente? Seamos sinceros con Dios... Quizás hayamos estado comiendo de Sus galletas....

El Granjero que Quería Hacerse Pajarito

La noche estaba muy fría y el granjero escuchó unos golpes en una de sus ventanas. Era el aleteo de unos pajaritos que intentaban entrar, para calentarse con a la luz de la cocina. El granjero intentó abrirla, pero se había atascado por el hielo. Usó toda su fuerza para empujarla, pero no pudo abrirla. Además, los pajaritos se asustaron y se fueron de la repisa.

Compadecido, el granjero se puso sus botas y su abrigo y fue a abrir la puerta del granero. También prendió la luz, para guiarlos y atraerlos. Pero ellos seguían asustados y no se atrevían volar desde la rama del álamo –ahora desnudo- donde hacían sus nidos en la primavera.

El granjero regresó a su casa friolento, cansado, y fue a sentarse junto a la chimenea. "¡Si yo pudiera hacerme como un pajarito y guiarles al granero, les salvaría la vida!", dijo a su esposa. "Al menos dejé la puerta abierta, por si deciden entrar," añadió, con un suspiro.

...

Asimismo, Cristo le dijo al Padre desde la Eternidad: *"Déjame hacerme como uno de ellos, para mostrarles el Camino de la Salvación."* Y así lo hizo. ¡Aleluya! ¡Por eso vivimos tú y yo! Solo que a Cristo le costó la Vida...

El Padre No Se Rinde

Había un hombre muy rico que poseía muchos bienes, una gran finca, mucho ganado, varios empleados y un solo hijo, su heredero.

Lo que más le gustaba al hijo era hacer fiestas, estar con sus amigos y ser adulado por ellos. Su padre siempre le advertía que sus amigos sólo estarían a su lado mientras él tuviese algo que ofrecerles; después, le abandonarían.

Un día el padre, ya avanzado en edad, dijo a sus empleados que le construyeran un establo pequeño. Dentro de él, el propio padre preparó una horca y, junto a ella, una placa con esto escrito: *"PARA QUE NUNCA DESPRECIES LAS PALABRAS DE TU PADRE."*

Mas tarde, llamó a su hijo, lo llevó hasta el establo y le dijo: *"Hijo mío, yo ya estoy viejo y, cuando yo me vaya, tú te encargarás de todo lo que es mío. Y yo sé cuál será tu futuro. Vas a dejar la finca en manos de los empleados y vas a gastar todo el dinero con tus amigos. Venderás todos los bienes para sustentarte y, cuando no tengas más nada, tus amigos se apartarán de ti. Sólo entonces te arrepentirás amargamente por no haberme escuchado. Fue por eso que construí esta horca. ¡Es para ti! Quiero que me prometas que, si sucede lo que yo te dije, te ahorcarás en ella."*

El joven se rio, pensó que era un absurdo, pero para no contradecir a su padre le prometió que así lo haría, pensando que eso jamás sucedería. El tiempo pasó; el padre murió; y su hijo heredó toda su fortuna. Y así como lo predicho, el joven gastó todo, vendió los bienes, perdió sus amigos y hasta la propia dignidad.

Desesperado y afligido, comenzó a reflexionar sobre su vida y vio que había sido un tonto. Se acordó de las palabras de su padre y comenzó a decir: *"Ah, padre mío... Si yo hubiese escuchado tus consejos... Pero ahora es demasiado tarde."* Apesadumbrado, el joven levantó la vista y vio el establo. Caminó lentamente y al llegar vio la horca y la placa llenas de polvo. Entonces pensó: *"Yo nunca seguí las palabras de mi padre, no pude alegrarle cuando estaba vivo, pero al menos esta vez haré su voluntad. Voy a cumplir mi promesa. No me queda nada más..."*

Entonces, subió los escalones y se colocó la cuerda en el cuello, y pensó: *"Ah, si yo tuviese una nueva oportunidad..."* Entonces, se tiró desde lo alto de los escalones y, por un instante, sintió que la cuerda apretaba su garganta... *Era el fin*... pensó.

Sin embargo, el brazo de la horca era hueco y se quebró fácilmente, cayendo el joven al piso. Sobre él cayeron joyas, esmeraldas, perlas, rubíes, zafiros y brillantes, muchos brillantes... La horca estaba llena de piedras preciosas. Entre éstas encontró una nota que decía: "*Esta es tu nueva oportunidad. ¡Te amo tanto! Con amor, tu viejo padre.*"

...

Dios es exactamente igual con nosotros. Cuando volvemos a Él, arrepentidos, nos da siempre una nueva oportunidad, porque, como dice el Salmo 51:17, "los sacrificios de Dios son el espíritu quebrantado; Al corazón contrito y humillado no despreciarás tú, oh Dios."

Amor Verdadero

Cuenta un médico que un hombre de edad avanzada vino a la clínica donde trabajaba para hacerse curar una herida en la mano. Tenía bastante prisa, y mientras le curaba le preguntó qué era eso tan urgente que tenía que hacer. El anciano le dijo que tenía que ir a una residencia de ancianos para desayunar con su esposa que vivía allí. Me contó que llevaba algún tiempo en ese lugar y que tenía un Alzheimer muy avanzado. Mientras acababa de vendar la herida, le pregunté si ella se alarmaría en caso de que él llegara tarde esa mañana. *"No,"* me dijo. *"Ella ya no sabe quién soy. Hace ya casi cinco años que no me reconoce."* Entonces el doctor preguntó extrañado. *"Y si ya no sabe quién es usted, ¿por qué esa necesidad de estar con ella todas las mañanas?"* Me sonrió y dándome una palmadita en la mano me dijo: *"Ella no sabe quién soy yo, pero yo todavía sé muy bien quién es ella".*

...

Todo es sobre el amor y la gracia de Dios.

SOBRE LA FAMILIA DE DIOS

¿Cómo Diría Dios El Padre Nuestro?

Hijo mío, que estás en la Tierra,
preocupado,
confundido,
desorientado,
solitario,
triste,
y angustiado.

Yo conozco perfectamente tu nombre,
y lo pronuncio bendiciéndolo,
porque te amo.

Juntos construiremos mi Reino,
del que tú vas a ser mi heredero,
y en eso no estarás solo porque yo habito en ti.

Deseo que siempre hagas mi voluntad,
porque mi voluntad es que tú seas feliz.

Tendrás el pan para hoy.
No te preocupes,
sólo te pido que siempre lo compartas con tu prójimo,
con tus hermanos.

Siempre perdono todas tus ofensas,
antes incluso de que las cometas,
pues sé que las cometerás.
Sólo te pido que,
de igual manera,
perdones tú a los que te ofenden.

Deseo que nunca caigas en la tentación.

Y toma fuerte mi mano,
aférrate siempre a mí,
y yo te libraré del mal.

Nunca olvides que te amo
desde el comienzo de tus días,
y que te amaré hasta el fin de ellos
¡porque soy tu Padre!

...

¡Padre Nuestro!

La Familia de Dios

Las mismas Amorosas Manos que te crearon a ti,
me crearon a mí.
Si ÉL es tu Padre, debe ser Padre mío también.
Nosotros pertenecemos, todos y todas, a la misma familia:
Cristianos, musulmanes, hindúes, judíos,
{dominicanos, puertorriqueños, cubanos, norteamericanos,
adictos, prostitutas, ladrones, asesinos}.
Toda la gente, de todos los pueblos,
son nuestros hermanos y hermanas.
Ellos y ellas también son hijos e hijas de DIOS.
Nuestro trabajo entre los hindúes {los deambulantes, los
adictos, los pacientes de SIDA} proclama que DIOS los ama;
Que DIOS los ha creado;
Que son mis hermanos y hermanas.
Naturalmente, yo quisiera poder darles
el gozo de lo que yo creo,
(mi fe), pero, eso, no lo puedo hacer yo.
Solo DIOS puede.
La fe es un don, un regalo de DIOS,
Pero DIOS no se impone a Sí Mismo.
Cristianos, musulmanes, hindúes, creyentes y no creyentes,
Tienen, todos, la misma oportunidad
de hacer las Obras de Misericordia
(de Amor, de Gracia) con nosotros;
tienen la oportunidad de compartir el gozo, de amar y
de percatarse de la Presencia de DIOS con nosotros.
Así... los cristianos se convierten en mejores cristianos;
Los hindúes se convierten en mejores hindúes;
Los musulmanes se convierten en mejores musulmanes.
{Así, los pecadores se convierten a Jesucristo.}

La Cajita de Oro

Hace ya un tiempo, un hombre castigó a su pequeña niña de 3 años, por desperdiciar un rollo de papel de envoltura dorado. El dinero era escaso en esos días, por lo que el padre explotó en furia cuando vio a la niña tratando de envolver una caja para ponerla debajo del árbol de Navidad. Todos en la familia quedaron quietos y en silencio ante aquel arranque de furia del padre. A la niña le bajaron lágrimas por sus mejillas.

En la mañana del día de Navidad, la niña tomó la caja envuelta en papel dorado y la llevó a su papá y le dijo: "Esto es para ti, papito". Él se sintió avergonzado de su reacción de furia. Pero volvió a explotar cuando vio que la caja estaba vacía. Le volvió a gritar diciendo: "¿Qué, no sabes que cuando das un regalo a alguien se supone que debe haber algo adentro?" La pequeñita, con gran timidez, miró hacia arriba con lágrimas en los ojos y dijo: "Oh, papito, pero esa cajita no está vacía, yo soplé muchos besitos dentro de ella, todos para ti." El padre se sintió morir; puso sus brazos alrededor de su niña y le suplicó que lo perdonara.

Se ha dicho que el hombre le mostró esa caja dorada a toda la gente que conocía y, siempre que se sentía derrumbado, tomaba de la caja un beso imaginario y recordaba el amor que su niña había puesto ahí.

En una forma muy sensible, cada uno de nosotros ha recibido un recipiente dorado, lleno de amor incondicional y besos de nuestro Padre Celestial. Nadie podría tener una propiedad o posesión más hermosa que ésta.

...

¿Quieres la tuya? Ven a Jesús hoy.

Volveré

Cuenta el Obispo L. Talbot que cuando salió de Australia le dijo a su mamá: "Mamá, si Dios lo permite, volveré." Por largos años ella esperó. Si alguien le decía: Sra. Talbot: ¿Qué está usted esperando? ella decía: "Mi hijo que está en Estados Unidos volverá." Y si la persona le decía: "¿Volverá? ¿Qué quiere usted decir? ¡Ciertamente no espera usted una aparición personal, visible, real! "Si, respondía ella, esa es la manera en que él regresará." Pero si las amistades le decían: "Pero ¿No te envía cartas él? ¿No recibes regalos de él? Quizás eso era lo que él quería decir: que él volvería a ti a través de esos regalos y cartas." Mi madre siempre les respondía: "Eso no fue lo que él dijo, él dijo que EL volvería a mí."

Pasaron largos años y un día crucé el océano en barco y caminé hasta mi casa y dije: "Mamá, aquí estoy."

...

¿Puedes creerle a Dios? ¿Quieres estar de pie delante de ÉL cuando venga? ¡Ven a Sus Pies hoy!

El Costo de un Hijo

Hace tiempo leí que el costo de crianza de un niño desde su nacimiento hasta la edad de 18 años, era de $160,140.00 dólares para una familia de clase media. Para aquellos que tenemos hijos, estos números nos llevan a fantasear sobre todo el dinero que podríamos tener amontonado si no fuera por ellos. Para otros, ese número podría confirmar su decisión de seguir sin hijos. Pero $160,140.00, no son algo tan grande si lo desglosamos de la siguiente manera: se convierten en $8,896.66 por año, $741.38 por mes, o $171.08 por semana. Tan solo $24.44 por día. Un poco más de un dólar por hora. Aun así, se pudiera pensar que el mejor consejo financiero podría ser: "no tenga niños si quiere ser rico", pero resulta que es justo todo lo contrario.

¿Qué obtienes por tus $160,140?00?
* Derecho para poner nombres: Primer nombre, segundo nombre y apellidos.
* Señales de Dios todos los días.
* Risitas bajo las sábanas todas las noches.
* Más amor que el que tu corazón puede soportar.
* Besos de mariposa y abrazos de oso.
* La maravilla interminable sobre las piedras, hormigas, nubes y galletas calientes
* Una mano para sostener, normalmente cubierta con mermelada.
* Un compañero para hacer burbujas, papalotes, construir castillos en la arena, e ir saltando por la acera mientras llueve a cántaros.
* Alguien para reírse tontamente de uno mismo, sin importar lo que diga el jefe o como se hayan comportado las acciones durante el día.

* Ver prenderse la luz cuando ellos finalmente "entienden" la multiplicación, cómo equilibrarse en la bicicleta, y que Santa "no es el verdadero significado de la Navidad".

Por $160,140.00 tú nunca tienes que crecer.
* Tienes permiso para pintar con los dedos, esculpir calabazas, jugar al escondite, capturar insectos luminosos y nunca dejar de creer en milagros.
* Tienes una excusa para seguir leyendo los cuentos de Peter Pan, ver dibujos animados en la mañana del sábado, ir a ver películas de Disney y pedirles deseos a las estrellas.
* Puedes pegar arco iris, corazones, y flores debajo de los imanes del refrigerador y coleccionar flores de tallarines pintados para Navidad. Impresiones de las manos en arcilla para el Día de la Madre, y tarjetas con letras en la parte de atrás para el Día del Padre o de la Madre.

Por $160,140.00, no hay mejor inversión para tu dinero.
* Puedes ser un héroe sólo por recuperar un Frisbee del techo del garaje, por quitar las ruedas de entrenamiento de la bicicleta, por sacar una astilla, llenar la piscina inflable, escupir una goma de mascar muy lejos, y por adiestrar un equipo de beisbol que nunca gana, pero siempre logra como premio un helado.
* Consigues un asiento de VIP en la historia para ser testigo del primer paso, la primera palabra, el primer diente, la primera cita, la primera oración y la primera vez en la feria.
* Consigues ser inmortal. Logras agregar otra rama a tu árbol genealógico.
* Obtienes una educación, algunas veces con honores, en: psicología, nutrición, justicia criminal, comunicaciones, y sexualidad humana, que ninguna universidad del mundo puede igualar.

* Ante los ojos de un niño, estás en el mismo escalafón con Dios, tienes todo el poder para: sanar un llanto, espantar los monstruos que están debajo de la cama, remendar un corazón roto, vigilar una fiesta, ponerlos siempre sobre la tierra y amarlos sin límites, de forma tal que un día ellos amen, como tú, sin tomar en cuenta el costo.

...

Dios te ama como tu eres, pero no quiere dejarte así; quieres que seas como Jesús.

Los Límites de Ser Padres

Te di la vida, pero no puedo vivirla por ti.

Puedo enseñarte muchas cosas, pero no puedo obligarte a aprender.

Puedo dirigirte, pero no responsabilizarme por lo que haces.

Puedo llevarte a la Iglesia, pero no puedo obligarte a querer.

Puedo instruirte en lo malo y lo bueno, pero no puedo decidir por ti.

Puedo darte amor, pero no puedo obligarte a aceptarlo.

Puedo enseñarte a compartir, pero no puedo forzarte a hacerlo.

Puedo hablarte del respeto, pero no te puedo exigir que seas respetuoso.

Puedo aconsejarte sobre las buenas amistades, pero no puedo escogértelas.

Puedo educarte acerca del sexo, pero no puedo mantenerte puro.

Puedo platicarte acerca de la vida, pero no puedo edificarte una reputación.

Puedo decirte que el licor es peligroso, pero no puedo decir no por ti.

Puedo advertirte acerca de las drogas, pero no puedo evitar que las uses.

Puedo exhortarte a la necesidad de tener metas altas, pero no puedo alcanzarlas por ti.

Puedo enseñarte acerca de la bondad, pero no puedo obligarte a ser bondadoso.

Puedo amonestarte en cuanto al pecado, pero no puedo hacerte una persona moral.

Puedo amarte como niño, pero no puedo colocarte en la familia de Dios.

Puedo hablarte de Jesús, pero no puedo hacer que Jesús sea tu Señor.

Puedo explicarte cómo vivir, pero no puedo darte vida eterna.

...

Para Dios no hay limites y tu eres su hijo o su hija.

A Escondidas

Esta es la anécdota del niño que le escribió una carta a su papá que recientemente había fallecido. En ella le decía:

Papá: Cuando tu pensabas que yo no estaba mirando, te vi que pegaste mi primer dibujo en la puerta de la nevera (y quise hacer otro); te vi colocar mis regalos debajo de la cama; te vi colocar mi retrato en tu cartera; te vi limpiando el reguero que había dejado en el baño; te vi hornear mi bizcocho favorito para mi cumpleaños, te vi llorando cuando yo lloraba; te vi riéndote de mis travesuras; te vi curando las heridas del perrito; te vi haciendo números y calculando para ver si podías enviarme al campamento de verano; te vi, te vi, te vi, cuando tu pensabas que yo no estaba mirando. Y porque te vi, quiero hacer lo mismo con mis hijos. ¡Gracias, Papá!

Dios anda buscando maneras de alcanzarnos para que no tengamos que esperar a la muerte para agradecerle. Dios tiene aún más bendiciones que entregarnos; si tan solo nos detenemos y le reconocemos.

Es cierto, hay que buscar a Dios; pero ÉL está mucho más cerca de lo que imaginamos.

Es cierto, hay que buscar de Dios; pero ÉL también anda buscando de nosotros.

...

¿Cuál será nuestra respuesta?

La Fortaleza de la Mujer

Cuando el Señor hizo a la mujer, era su sexto día de trabajo haciendo horas extras. Un Ángel apareció y *dijo "¿Por qué pasas tanto tiempo en ésta?"* Y el Señor le contestó diciendo: *"¿Has visto el formulario de especificaciones que tiene? Tiene que ser completamente lavable, pero no plástica, tiene 200 partes movibles, todas reemplazables, funciona con café y restos de comida, tiene un regazo en el que caben 2 niños al mismo tiempo pero que desaparece cuando se incorpora, tiene un beso que puede curar cualquier cosa, desde una rodilla raspada hasta un corazón roto, y tiene 6 pares de manos."*

El Ángel estaba sorprendido de todos los requerimientos que traía. *"¡Seis pares de manos! ¡No puede ser!"* dijo. El Señor contestó: *"No, el problema no son las manos, ¡son los 3 pares de ojos que las madres deben tener!" "¿Todo esto en el modelo estándar?"*, preguntó el Ángel. El Señor movió la cabeza en señal de asentimiento. *"Si, un par de ojos son para que puedan ver a través de una puerta cerrada y preguntarles a sus niños qué están haciendo, a pesar de que ella ya lo sabe. Otro par de ojos va en la parte de atrás de su cabeza, para ver lo que necesita saber, aunque nadie piense que lo necesita. Y el tercer par está en la parte de adelante de su cabeza. Buscan a los niños perdidos y les dicen que ella comprende y los ama sin decir ni una sola palabra".*

El Ángel trató de detener al Señor. *"Esto es demasiado trabajo para un solo día, mejor espera hasta mañana para terminar". "Pero no puedo"*, protestó el Señor, *"estoy tan cerca de terminar esta creación por lo que está muy cerca de mi corazón. Se cura a sí misma cuando está enferma y puede alimentar a una familia con una hamburguesa y puede hacer que un nene de 9 años se quede bajo la ducha"*

El Ángel se acercó y tocó a la mujer *"Pero la has hecho tan suave, Señor."* *"Ella es suave"*, asintió el Señor *"pero también la hice fuerte. No tienes ni idea de lo que puede resistir o lograr."* *"¿Podrá pensar?"*, preguntó el Ángel. El Señor respondió: *"No tan sólo será capaz de pensar, sino también de razonar y negociar."*

El Ángel notó algo y se estiró y tocó la mejilla de la mujer. *"Oh, parece que este modelo tiene una pérdida. Le dije que estaba tratando de poner demasiadas cosas". "Esa no es una pérdida"*, objetó el Señor. *"Eso es una lágrima". "¿Y para qué son las lágrimas?"* preguntó el Ángel. El Señor dijo, *"La lágrima es la forma en que ella expresa su alegría, su pena, su desilusión, su soledad, su dolor y su orgullo"*

El Ángel estaba impresionado. *"Eres un genio, Señor. Pensaste en todo ya que las mujeres son en verdad ¡Asombrosas! Las mujeres tienen fuerzas que asombran a los hombres. Llevan a los hijos, sobrellevan dificultades, llevan pesadas cargas, pero se aferran a la felicidad, amor y alegría. Sonríen cuando quieren gritar. Cantan cuando quieren llorar. Lloran cuando están felices y ríen cuando están nerviosas. Pelean por lo que creen. Se sublevan contra la injusticia. No aceptan un "no" por respuesta cuando creen que existe una solución mejor.*

No se compran zapatos nuevos, pero a sus hijos sí. Acompañan al médico a un amigo asustado. Aman incondicionalmente. Lloran cuando sus hijos sobresalen y ovacionan a sus amigos cuando triunfan. Se les rompe el corazón cuando un amigo muere. Sufren cuando pierden a algún miembro de la familia, pero son fuertes cuando no hay de donde más sacar fuerzas. Saben que un abrazo y un beso puede sanar un corazón roto. Las mujeres vienen en todos los tamaños, colores y formas. Manejan, vuelan, caminan o te mandan e-mails para decirte cuánto te quieren. ¡El corazón de las mujeres es lo que hace el mundo girar! Las mujeres hacen más que dar a luz. Ellas traen alegría y esperanza. Compasión e ideales. Las mujeres tienen un montón de cosas que decir y para dar.

...

¡Sí, el corazón de la mujer es asombroso!

El Ángel de los Niños y Niñas

Cuenta una antigua leyenda que un niño que estaba por nacer, le dijo a Dios: *"Me dicen que me vas a enviar a la Tierra; pero ¿cómo viviré tan pequeño e indefenso como soy?"* A lo que Dios contestó: *"Entre muchos ángeles escogí uno para ti, que te está esperando, él te cuidará." "Pero dime Señor, aquí en el cielo, no hago más que cantar y sonreír, eso me basta para ser feliz."* Dios le contestó: *"Tu ángel te cantará, te sonreirá todos los días y tú sentirás su amor y serás feliz."* Y *"¿Cómo entender que la gente me hable, si no conozco el extraño idioma que hablan los seres humanos?" "Tu ángel te dirá las palabras más dulces y más tiernas que puedas escuchar, y con mucha paciencia y cariño te enseñará a hablar."* Y *"¿Qué haré cuando quiera hablar contigo?" Tu ángel te juntará las manitas y te enseñará a orar.*

He oído que en la tierra hay gente mala, ¿quién me defenderá. Tu ángel te defenderá aún a costa de su propia vida. Pero estaré siempre triste porque no te veré más Señor. Tu ángel te hablará de Mí y te enseñará el camino para que regreses a mi presencia, aunque Yo siempre estaré a tu lado.

En esos instantes, una gran paz reinaba en el cielo, pero ya se oían voces terrenales y el niño presuroso, repetía suavemente: *"Dios mío, ya me voy, dime su nombre ¿Cómo se llama mi ángel? Su nombre no importa, tú le dirás mamá."*

...

Ángeles en misiones especiales. Así son las madres.

Como el Lápiz

Luego de un día de juegos con su amado abuelo, el nieto observó que su abuelo escribía una carta. Extrañado, le preguntó: ¿Abuelo, estás escribiendo una historia sobre lo que nos pasó a los dos? ¿Es, por casualidad, una historia sobre mí? El abuelo dejó de escribir, sonrió y le dijo al nieto: Estoy escribiendo sobre ti, es cierto. Sin embargo, más importante que las palabras, es el lápiz que estoy usando. Me gustaría que tú fueses como él cuando crezcas.

El nieto miró el lápiz intrigado, y no vio nada de especial en él y preguntó: ¿Qué tiene de particular ese lápiz? El abuelo le respondió: Todo depende del modo en que mires las cosas. En él hay cinco cualidades que, si consigues mantenerlas, harán siempre de ti una persona de paz con el mundo.

Primera cualidad: Puedes hacer grandes cosas, pero no olvides nunca que existe una mano que guía tus pasos. Esta mano la llamamos Dios y Él siempre te conducirá en dirección a su buena voluntad.

Segunda cualidad: De vez en cuando necesitas dejar lo que estás escribiendo y usar el sacapuntas. Eso hace que el lápiz sufra un poco, pero al final, estará más afilado. Por lo tanto, debes ser capaz de soportar algunos dolores, porque te harán mejor persona.

Tercera cualidad: El lápiz siempre permite que usemos una goma para borrar aquello que está mal. Entiende que corregir algo que hemos hecho no es necesariamente algo malo, sino algo importante para mantenernos en el camino de la justicia.

Cuarta cualidad: Lo que realmente importa en el lápiz no es la madera ni su forma exterior, sino el grafito que hay dentro. Por lo tanto, cuida siempre de lo que sucede en tu interior.

Quinta cualidad: Siempre deja una marca. De la misma manera, has de saber que todo lo que hagas en la vida, dejará trazos. Por eso, intenta ser consciente de cada acción.

...

¡Que tu vida entera esté dedicada a servir a Jesús!

Resurrección y Regreso

El evento de la Resurrección está relacionado con los conceptos de, regreso, regresar, retornar. Si, es cierto, también está relacionado con revivir, resurgir, renacer, etc. Pero quisiera compartir con ustedes la relación entre resurrección y regreso.

Ese domingo, Jesús regresa de la muerte. Luego de su pasión, muerte y entierro, Jesús estuvo predicando a los muertos. Era parte del Plan de Dios. Era necesario. Al terminar esa otra etapa del Plan, Jesús regresó a la vida, al mundo natural, a la Tierra, por algunos días más, para completar lo que faltaba. Es decir, para dar las últimas instrucciones a los discípulos sobre la gran comisión que nos dejaba en la Tierra.

Ese domingo, las mujeres regresaron a donde lo había sepultado, a la cueva, a la tumba. Pero la encontraron vacía. Entonces regresaron a donde estaban los demás discípulos para contarles lo que les había dicho el ángel: *"No está aquí, ha resucitado, ha regresado como lo había dicho."*

Ese domingo, también los discípulos habían regresado al Aposento Alto. Uno a uno, habían regresado. Abochornados, apenados, arrepentidos de haber abandonado al Señor, de haberlo traicionado, de haberle fallado. Cuando más les necesitó, ellos habían huido, despavoridos, asustados. Pero, uno a uno, los discípulos regresaron a la Casa, a la iglesia, al Aposento Alto. Regresaron al mismo lugar donde habían celebrado la Última Cena con el Señor. De sus escondites, regresaron. De sus quebrantos, regresaron. Allí todavía había el calor humano, la esperanza del acogimiento de la comunidad. Allí todavía se percibía el suave aroma de Cristo, el perfume, la fragancia, el olor del Pan y el Vino. Allí esperaban encontrar aliento, perdón, esperanza, acompañamiento. Uno a uno, regresaron a la casa del Señor.

Ese domingo también hubo algunos discípulos que regresaron a sus pueblos de origen. Regresaban a sus hogares familiares, asustados, atemorizados de que, igual que habían matado a Jesús, los podían matar a ellos. Estaban tristes, asustados. habían perdido la esperanza y la fe. Ya habían pasado tres días y no había resucitado. Y regresaron derrotados a sus hogares. Iban de camino a sus aldeas.

Dos de ellos, Cleofás y un discípulo desconocido, regresaban a Emaús. Iban hablando por el camino, derrotados, cansados. Entonces, se les unió Jesús, el Cristo resucitado, el que había regresado de la muerte, pero ellos no lo reconocieron. Entonces, Jesús, el Cristo, les abrió Las Escrituras y les explicó lo que había pasado. Cuando llegaron a la aldea de Emaús, Jesús, hizo como que iba a seguir de camino, pero los dos discípulos, sin saber Quién era, le pidieron que se quedara y le ofrecieron comida y alojamiento al Señor. Entonces, ocurre algo espectacular. Dice la Sagrada Escritura, que cuando Jesús tomó el pan y lo partió, los discípulos reconocieron Quién era aquel hombre. Al instante, Jesús desapareció de su vista y se esfumó.

Ese mismo domingo, aquellos dos discípulos, Cleofás y el discípulo desconocido, regresaron a Jerusalén a contarles a los demás lo que les había pasado. Y regresaron al Aposento Alto. Allí encontraron a los demás discípulos reunidos. Solo había rumores de que Jesús había resucitado. Ellos podían dar fe, testimonio, de que en verdad Jesús había regresado y que ellos los habían visto con sus ojos. Entonces, de repente, se oyeron unos pasos y los discípulos se pusieron tensos, esperando que alguien abriese la puerta del Aposento Alto. Pero nadie entró por la puerta. Jesús hizo una entrada espectacular, sorprendente: Jesús atravesó la pared y entró al Aposento Alto con el mensaje de la Paz. *"Paz a vosotros."* En otras palabras: "Estén tranquilos, YO les perdono."

Si, aquel domingo, Jesús regresó para iniciar el principio del final o finalizar lo que había comenzado. Allí comenzaba el principio de la Iglesia, el principio de la misión de Dios que nos corresponde a nosotros(as) continuar aquí, donde estamos, entre los vecinos con los cuales convivimos, nuestro prójimo. Si, Jesús regresó para dejar las instrucciones finales que habrían de guiar nuestro Caminar con Jesús, la Gran Comisión, los detalles y revelación del Propósito de Dios para Su Pueblo, Su Iglesia, "los llamados(as) a servir."

Ahora, nos corresponde a nosotros(as) regresar a la Casa de Papá, a la Iglesia, al Cuerpo de Cristo. Nos corresponde entrenarnos, equiparnos, capacitarnos, disciplinarnos, someternos a la autoridad que Dios ha dispuesto, a la iluminación y guía del Espíritu Santo, a la investidura de Su Poder sobre nosotros(as) para poder ser testigos de Su Esperanza, de Su Salvación, de Su Gozo, de Su Paz; para que los que nos tienen esperanza, ni salvación, ni gozo, ni paz, la encuentren en Jesús, el Cristo de la Gloria, y sus vidas sean transformadas como fueron las nuestras y que el mundo sepa Quién es "el que regresó de la muerte para traer vida abundante y vida eterna."

Finalmente, Jesucristo regresó a Su Hogar Eternal, después de revelarse a sus discípulos originales y a 500 discípulos más y, finalmente, a Saulo de Tarso. Regresó triunfante a la Casa de Su Padre, a interceder por nosotros(as). Pero, la historia no termina ahí. Jesús envió al Espíritu Santo sobre la Iglesia para darle Poder y delegar Su autoridad para que podamos llevar a cabo Su gran comisión.

...

Regresa a Casa, hija, hijo. Regresa a Casa de Papá.

Sobre el Regreso a Casa: El Fotógrafo Carl McCunn

Esta es una historia real, verídica. Es la historia de cómo fueron los últimos días del fotógrafo llamado, Carl McCunn. Falleció a los 35 años, en Alaska, solo, hambriento y congelado. Su padre lo encontró después de muchos intentos fallidos.

Este fotógrafo había planificado pasar un tiempo solo, en los bosques de Alaska durante el verano. Ahorró mucho dinero para poder pasar un verano solo. Compró víveres, una escopeta (para cazar y para defenderse). Compró balas y muchos rollos de película (que se usaban para tomar las fotos).

El hombre había planificado su estadía en el bosque con mucho cuidado. Alquiló un piloto para que lo llevara a la parte más remota del bosque. El fotógrafo no quería tener contacto con ningún ser humano mientras estuviera en el bosque. Así lo hizo el piloto; lo llevó a un lugar remoto donde no había seres humanos alrededor. Allí dejó al fotógrafo y todo su equipaje.

El fotógrafo comenzó construyendo una choza en medio del bosque, aunque posteriormente consiguió una cabaña abandonada y allí se estableció. Salía en las mañanas a explorar el bosque. Tomaba fotos de todo lo que le interesaba. Luego, regresaba a la cabaña a comer algo y a escribir en un diario sus observaciones y un catálogo de sus fotografías. El hombre era muy meticuloso, detallista y metódico.

Hizo esto por días, por largos días. A veces cazaba conejos, y otros animales pequeños, que comía en las tardes. La repetición de estas actividades le llevó a cansarse y decidió mudarse a otro lugar. Cargó su equipaje, que ahora resultaba muy pesado y decidió deshacerse de algunas cosas. Dejó en la cabaña, balas, rollos de fotografía, ropa pesada para el frio, zapatos para nieve, latas de comida, agua embotellada y otras cosas que le pesaban.

Emprendió su mudanza hasta encontrar un lugar en donde acampar. Levantó su campamento, salió a cazar y a fotografiar la naturaleza y regresó para preparar su comida. Esa primera noche llovió intensamente. Se apagó la fogata que había preparado, se metió el agua por debajo de la caseta y mojó su ropa. La temperatura bajó mucho y el hombre pasó frío. Amaneció todo mojado y muchas de sus cosas se dañaron.

La próxima noche, inesperadamente, comenzó a caer nieve. Esa noche escuchó a animales salvajes acercarse a su campamento. Lobos, osos y otros animales se acercaban buscando comida. El frío intenso y el tener la ropa mojada, además de la baja alimentación, provocaron que el hombre se enfermara. Todo esto quedó registrado en el diario de Carl. Pasó días sin comer, con mucho frío y asustado pues sus balas se habían acabado, su comida se había dañado y él lamentaba haber dejado la comida enlatada y las balas para su rifle.

Desalentado, emocionalmente decaído, sin alimento y enfermo, Carl pensó que su plan había fallado en un detalle muy importante: se le había olvido decirle al piloto cuando debía venir a recogerlo. No había planificado su regreso a casa. Entonces, se percató de que estaba perdido y sin fuerzas para regresar a donde el piloto lo había dejado. Allí, en aquella caseta mojada, lúgubre, inhóspita, el joven fotógrafo, se dejó morir.

Meses después, su padre comenzó la búsqueda de su hijo. Recorrió en avión un perímetro cercano a donde el piloto había dejado a Carl. La nieve había tapado gran parte del bosque lo que impedía localizarlo desde el avión. Entonces, el padre decidió bajar al bosque e intentar encontrar a su amado hijo. Anduvo por las veredas, los caminos, buscando a Carl. En su búsqueda encontró la cabaña abandonada y las cosas que Carl había dejado tiradas. Encontró una estación de emergencia que el gobierno había colocado en el bosque por si alguien se perdía pudiera dar señales de vida. Obviamente, Carl no había pasado por allí.

Fueron muchos viajes que el padre de Carl hizo al bosque para buscar a su hijo. Muchas veces regresaba triste por haber fallado en su empeño. Finalmente, como tres años después de su desaparición, muy cerca de una cabaña preparada para personas perdidas en el bosque, el padre de Carl divisó la caseta de campaña, deshilada, rota, cubierta de nieve y, adentro, encontró el cadáver de su hijo, el diario y la cámara fotográfica. Milagrosamente, los animales no habían atacado al hombre muerto.

La lección de este relato es que el plan tiene un comienzo, en donde se sale, pero tiene que tener un final, en donde se regresa a casa.

...

¿Hiciste preparativos para regresar a casa? Hoy puedes hacerlo. Acércate a Jesús hoy.

El Joven y El Sabio

Érase una vez un joven que acudió a un sabio en busca de ayuda.

"Vengo, maestro, porque me siento tan poca cosa que no tengo ganas de hacer nada. Me dicen que no sirvo, que no hago nada bien, que soy torpe y bastante tonto. ¿Cómo puedo mejorar? ¿Qué puedo hacer para que me valoren más?"

El maestro, sin mirarlo, le dijo: *"Cuánto lo siento, muchacho. No puedo ayudarte, ya que debo resolver primero mi propio problema. Quizá después."* Y, haciendo una pausa, agregó: *"Si quisieras ayudarme tú a mí, yo podría resolver este tema con más rapidez y después tal vez te pueda ayudar."*

"Encantado, maestro", titubeó el joven, sintiendo que de nuevo era desvalorizado y sus necesidades postergadas.

"Bien", continuó el maestro. Se quitó un anillo que llevaba en el dedo meñique de la mano izquierda y, dándoselo al muchacho, añadió: *"Toma el caballo que está ahí fuera y cabalga hasta el mercado. Debo vender este anillo porque tengo que pagar una deuda. Es necesario que obtengas por él la mayor suma posible, y no aceptes menos de una moneda de oro. Vete y regresa con esa moneda lo más rápido que puedas."*

El joven tomó el anillo y partió. Apenas llegó al mercado, empezó a ofrecer el anillo a los mercaderes, que lo miraban con algo de interés hasta que el joven decía lo que pedía por él. Cuando el muchacho mencionaba la moneda de oro, algunos reían, otros le giraban la cara y tan sólo un anciano fue lo bastante amable como para tomarse la molestia de explicarle que una moneda de oro era demasiado valiosa como para entregarla a cambio de un anillo. Con afán de ayudar, alguien le ofreció una moneda de plata y un recipiente de cobre, pero el joven tenía instrucciones de no aceptar menos de una moneda de oro y rechazó la oferta.

Después de ofrecer la joya a todas las personas que se cruzaron con él en el mercado, que fueron más de cien, y abatido por su fracaso, montó en su caballo y regresó. ¡Cuánto hubiera deseado el joven tener una moneda de oro para entregársela al maestro y liberarlo de su preocupación, para poder recibir al fin su consejo y ayuda!

De regreso al taller del maestro, entró en la habitación. *"Maestro"*, dijo, *"lo siento, no es posible conseguir lo que me pides. Quizás hubiera podido conseguir dos o tres monedas de plata, pero no creo que yo pueda engañar a nadie respecto del verdadero valor del anillo." "Eso que has dicho es muy importante, joven amigo,"* contestó sonriente el maestro. *"Debemos conocer primero el verdadero valor del anillo. Vuelve a montar tu caballo y ve a ver al joyero. ¿Quién mejor que él puede saberlo? Dile que desearías vender el anillo y pregúntale cuánto te da por él. Pero no importa lo que te ofrezca: no se lo vendas. Vuelve aquí con mi anillo."*

El joven volvió a cabalgar hasta el taller del joyero llevando el anillo. Al llegar, el joyero examinó el anillo a la luz del candil, lo miró con su lupa, lo pesó y luego le dijo al chico: *"Dile al maestro"*, muchacho, *que, si lo quiere vender ya mismo, no puedo darle más de cincuenta y ocho monedas de oro por su anillo." "¿Cincuenta y ocho monedas?"*, exclamó el joven.

"Sí", replicó el joyero. *"Yo sé que con tiempo podríamos obtener por él cerca de setenta monedas, pero si la venta es urgente, pues ese es el precio que yo le doy."*

El joven corrió emocionado a casa del maestro a contarle lo sucedido. *"Siéntate"*, dijo el maestro después de escucharlo. ***"Tú eres como ese anillo: una joya, valiosa y única. Y como tal, sólo puede evaluarte un verdadero experto. ¿Por qué vas por la vida pretendiendo que cualquiera descubra tu verdadero valor?"***

Y, diciendo esto, volvió a ponerse el anillo en el dedo meñique de su mano izquierda.

¿Quién te valora a ti? ¿Tus amistades, tus compañeros de trabajo, tu familia, la comunidad? ¿Quién es el experto que te conoce de verdad? ¿Será el que te formó con Sus dedos? ¿Será Dios? ¿Quién?

...

Dice el Salmo 139:16 que Sus ojos te vieron cuando estabas en el vientre de tu madre. En lo profundo te conoció y vio que lo que había hecho era bueno. Solo créelo.

Sobre la Gratitud

Los Mineros

Hay una historia que dicen es verídica... Aparentemente sucedió en algún lugar de África. Seis mineros trabajaban en un túnel muy profundo extrayendo minerales desde las entrañas de la tierra. De repente un derrumbe los dejó aislados del exterior sellándose la salida del túnel. En silencio cada uno miró a los demás. De un vistazo calcularon su situación. Con su experiencia, se dieron cuenta rápidamente de que el problema sería el oxígeno. Si hacían todo bien les quedaban unas tres horas de aire, cuando mucho tres horas y media....

Mucha gente de afuera sabía que ellos estaban allí atrapados, pero un derrumbe como éste significaría horadar otra vez la mina para llegar a buscarlos. ¿Podrían hacerlo antes de que se terminara el aire? Los expertos mineros decidieron que debían ahorrar todo el oxígeno que pudieran. Acordaron hacer el menor desgaste físico posible, apagaron las lámparas que llevaban y se tendieron todos en el piso. Enmudecidos por la situación e inmóviles en la oscuridad era difícil calcular el paso del tiempo. Incidentalmente solo uno de ellos tenía reloj. Hacia él iban todas las preguntas: *¿Cuánto tiempo pasó? ¿Cuánto falta? ¿Y ahora?*

El tiempo se estiraba, cada par de minutos parecía una hora y la desesperación ante cada respuesta agravaba aún más la tensión. El jefe de los mineros se dio cuenta de que si seguían así la ansiedad los haría respirar más rápidamente y esto los podía matar. Así que ordenó al que tenía el reloj que solamente él controlara el paso del tiempo. Nadie haría más preguntas, él avisaría a todos cada media hora.

Cumpliendo la orden, el del reloj controlaba su máquina. Y cuando la primera media hora pasó, él dijo: *"ha pasado media hora"*. Hubo un murmullo entre ellos y una angustia que se sentía en el aire. El hombre del reloj se dio cuenta de que a medida que pasaba el tiempo, iba a ser cada vez más terrible comunicarles que el minuto final se acercaba. Sin consultar a nadie decidió que ellos no merecían morirse sufriendo. Así que la próxima vez que le informó la media hora, habían pasado en realidad 45 minutos.

No había manera de notar la diferencia, así que nadie siquiera desconfió. Apoyado en el éxito del engaño la tercera información la dio casi una hora después. Dijo *"paso otra media hora"* ... y los cinco creyeron que habían pasado encerrados, en total, una hora y media y todos pensaron en cuan largos se le hacia el tiempo.

Así siguió el del reloj, a cada hora completa les informaba que había pasado media hora. La cuadrilla apuraba la tarea de rescate, sabían en que cámara estaban atrapados, y que sería difícil poder llegar antes de cuatro horas. Llegaron a las cuatro horas y media. Lo más probable era encontrar a los seis mineros muertos. Encontraron vivos a cinco de ellos. Solamente uno había muerto de asfixia... el que tenía el reloj.

Esta es la fuerza que tienen las creencias en nuestras vidas. Esto es lo que nuestros condicionamientos pueden llegar a hacer de nosotros. **Cuando creemos, confiamos en que se puede seguir adelante, nuestras posibilidades se multiplican**.

... Te invito a creer y a esperar en Dios.

Don José, el Deambulante

Don José era un deambulante que todos los días iba al templo de la Iglesia a orar. Todos los días, a las 12 en punto del mediodía. Entraba, oraba y se levantaba y se iba. Todos los días. Uno de los líderes de la Iglesia le comentó al pastor lo que estaba pasando, de cómo este hombre venía todos los días a las 12, entraba, se arrodillaba, y en pocos minutos se levantaba, dejaba un mal olor y se iba. Desde entonces, el Pastor se puso en vela y esperó al deambulante. El pastor quería ver con sus propios ojos a este señor y ver qué era lo que buscaba en aquel hermoso santuario.

Un día, el pastor encontró al deambulante y le preguntó qué era lo que él hacía y qué quería en la Iglesia, porque solo estaba un minuto y se iba. Don José, el deambulante, le explicó que como él era pobre, no sabía cómo orar y que solo le decía al Señor: *¡Señor Jesús, soy yo, José!* Y luego se iba pensando que Jesús lo había escuchado. El pastor quedó perplejo, sorprendido, asombrado por aquella fe sencilla. Entonces Don José siguió su camino hacia afuera del templo.

Aquel día, y mientras el pastor lo miraba atónito, sucedió que al salir del templo e intentar cruzar la calle, un carro arrolló a Don José en la carretera. Inmediatamente, el pastor salió corriendo, llamó al 9-1-1 y, cuando llegó la ambulancia, lo llevaron al hospital de los pobres. Allí socorrieron a Don José y lo colocaron en una sala repleta con otros hombres que, al igual que Don José, no tenía plan médico y que se quejaban muchísimo de sus dolores.

Desde que llegó Don José a aquella Sala comenzó a cambiar el ambiente. Ya los hombres no se quejaban tanto, ni peleaban con las enfermeras y los doctores.
La jefa de las enfermeras se enteró y quiso averiguar por qué había cambiado aquel ambiente tan hostil y deprimente. Una de las enfermeras le dijo que era por Don José.

Entonces, la jefa de las enfermeras se acercó y preguntó a Don José cómo era posible que él siempre estuviese de buen humor, haciendo chistes y hasta cantando cuando él tenía todo su cuerpo destruido. Él le contestó: *"Es por la visita."* "¿Visita? Si nosotros no tenemos su dirección y no se le ha podido avisar a nadie que usted está aquí. Además, aquí dice que a usted no ha venido nadie a visitarlo." *"Oh, si,"* ripostó Don José, *"Él viene todos los días a las 12 en punto del mediodía; se para ahí donde usted está y me dice: 'José, aquí estoy, soy yo, Jesús.'"*

...

Jesús es el buen pastor.

El Collar de Color Turquesa

Se cuenta la historia del dueño de una tienda de joyas que estaba detrás del mostrador de su tienda y miraba la calle distraídamente. De pronto, una niñita se aproximó al negocio y apretó la naricita contra él vidrio de la vitrina. Los ojos de color del cielo brillaban cuando vio un determinado objeto. Entró en el negocio y pidió ver el collar de color turquesa azul.

“Es para mi hermana. ¿Puede hacer un paquete bien bonito?,” dijo ella. El dueño del negocio miró desconfiado a la niñita y le preguntó: “¿Cuánto dinero tienes?” Sin dudar, la niña sacó del bolsillo de su ropa un pañuelo todo atadito y fue deshaciendo los nudos. Los colocó sobre el mostrador y dijo feliz: “¿Esto da?”

Eran apenas algunas monedas que ella exhibía orgullosa. “Sabe, quiero dar este regalo a mi hermana mayor. Desde que murió nuestra madre, ella cuida de nosotros y no tiene tiempo para ella. Es el cumpleaños de ella y tengo el convencimiento que quedará feliz con el collar que es del color de sus ojos.”

El hombre fue para la trastienda, colocó el collar en un estuche, lo envolvió con un vistoso papel dorado e hizo un hermoso lazo con una cinta verde. "Toma,” dijo a la niña. “Llévalo con cuidado”. Ella salió feliz corriendo y saltando calle abajo.

Aún no acababa el día, cuando una linda joven de cabellos rubios y maravillosos ojos azules entró en el negocio. Colocó sobre el mostrador el ya conocido envoltorio deshecho e indagó: "¿Este collar fue comprado aquí?" "Sí señorita," contestó el dueño. "¿Y, ¿cuánto costó?" indagó la joven. "¡Ah!", expresó el dueño del negocio. "El precio de cualquier producto de mi tienda es siempre un asunto confidencial entre el vendedor y el cliente." La joven continuó: "Pero mi hermanita solo tenía algunas monedas. El collar es verdadero, ¿no? Ella no tendría dinero para pagarlo."

El hombre tomó el estuche, rehízo el envoltorio con extremo cariño, colocó la cinta y lo devolvió a la joven. "Ella pagó el precio más alto que cualquier persona puede pagar. ELLA DIO TODO LO QUE TENÍA."

El silencio llenó la pequeña tienda y las lágrimas rodaron por la faz emocionada de la joven en cuanto sus manos tomaban el pequeño envoltorio.

...

Quien ama no coloca límites para los gestos de ternura y de gratitud, porque, un corazón agradecido y confiado, es un corazón obediente a Dios.

El Pequeño Actor

Un niño tartamudo estaba intentando conseguir una parte en una obra de teatro en la escuela. Su mamá contaba que el niño había puesto su corazón en ello y ella temía que no fuera elegido.

El día que las partes de la obra fueron repartidas, el niño fue muy temprano a la escuela. Estaba muy emocionado con la obra de teatro. Su mamá le esperaba en casa muy preocupada. Le había preparado galletitas y había colocado el vaso en el congelador para que la leche estuviese bien fría cuando el niño llegase de la escuela. Ella imaginaba que llegaría frustrado, desilusionado.

A la hora del regreso a casa, el niño entró corriendo con los ojos brillantes, con orgullo y emoción. "¡A-di-vi-na qué ma-má, a-di-vi-na!" gritó y luego dijo las palabras que permanecerían como una lección para todos: "¡He sido e-le-gi-do para a-plau-dir y a-ni-mar!" ¡Me es-co-gie-ron pa-ra a-plau-dir!

...
Cristo cuenta conmigo y yo cuento con Cristo.

Ese Amigo es Jesús

¿Alguna vez te has sentado por allí y de repente sientes deseos de hacer algo agradable por alguien a quien le tienes cariño? Ese es Jesús que te habla a través del Espíritu Santo.

¿Alguna vez te has sentido derrotado, nadie parece estar alrededor tuyo para hablarte y de repente sientes que alguien llega? Ese es Jesús, Él quiere hablar contigo.

¿Alguna vez has estado pensando en alguien a quién amas y no has visto por largo tiempo y lo próximo que pasa es verlo o recibir una llamada de esa persona? Ese es Jesús, no existe la casualidad.

¿Alguna vez has recibido algo maravilloso que ni siquiera pediste? Ese es Jesús que conoce los secretos de tu corazón.

¿Alguna vez has estado en una situación problemática y no tenías indicios de cómo se iba a resolver y de pronto todo queda resuelto sin darte cuenta? Ese es Jesús que toma nuestros problemas en sus manos y les da solución.

¿Alguna vez has sentido una inmensa tristeza en el alma y al día siguiente la tristeza ha pasado? Ese es Jesús que te dio un abrazo de consuelo y te dijo palabras dulces.

¿Alguna vez te has sentido tan cansado de todo, al grado de querer morir y de pronto un día sientes que tienes la suficiente fuerza para continuar? Ese es Jesús que te cargó en sus brazos para darte descanso.

¿Alguna vez has sentido que tienes tantos problemas y las cosas ya se están saliendo de su cauce y de pronto un día todo está resuelto? Ese es Jesús que tomó todas las cosas y las puso en su lugar.

Todo es tan sencillo cuando nos ponemos en Sus manos.

...

¿Piensas que este mensaje fue escrito accidentalmente? Ese es Jesús que recordó que estás ahí, que eres Su Amigo(a).

El Puente Caído

Sucedió después de un tremendo huracán que azotó al país, hace algunos años. Como resultado del vendaval, el río creció y se llevó un puente por donde pasaban muchas personas en carro. El alcalde de aquella ciudad llamó a sus ayudantes para consultarles qué podían hacer. Era de noche, estaba lloviendo y la gente no veía que el puente no estaba y caían al gran río.

Uno de los ayudantes sugirió la idea de colocar a tres personas prominentes de la ciudad, estratégicamente colocadas, con un rótulo cada uno. La primera persona se colocaría como a 100 metros del puente con un rótulo que leyera: **"Puente caído adelante, vaya con cuidado."** La segunda persona se ubicaría como a 75 metros del puente con otro rótulo que decía: **"Tome el carril de la derecha, desvío provisional."** La tercera persona se ubicaría como a 50 metros del puente con un rótulo que diría: **"Vire a la derecha, no hay otra salida."**

Los tres hombres fueron escogidos y colocados con sus rótulos en los lugares destinados. Al pasar las horas los hombres se cansaron y el primer hombre se recostó y quedó dormido sobre el rótulo y solo se leía "**caído adelante, vaya con cuidado**." El segundo hombre también se durmió sobre el rótulo y solo se leía: "**Tome el carril.**" El tercer hombre pensó que el rótulo era muy dogmático, que no les daba alternativas a los conductores y decidió cambiarlo y escribió: **"Usted tiene la opción de virar a la**

derecha o a la izquierda, solo tome una decisión sabia de acuerdo a la información que le dieron los dos hombres anteriores." Ya ustedes saben lo que pasó.

En el Reino de Dios no puede ser así. Dios nos ha colocado en Su casa con un propósito divino: que le adoremos. Dios nos ha capacitado con diversos dones para que lo usemos con sabiduría. Para que anunciemos las virtudes de aquel que nos llamó de las tinieblas a Su luz admirable. Amados para amar; perdonados para perdonar; bendecidos para bendecir.

El que sirve, que sirva con integridad. El que alaba que lo haga con alegría, el que predica que lo haga con todo su corazón. No hacen falta "superhombres, ni superchicas." Dios lo que espera es corazones agradecidos.

...

¿Habrá gratitud en la Casa de Dios hoy?

Los Agradecidos

Se cuenta que un joven Pastor fue asignado a servir en un puerto de mar muy activo. Muchos botes cargando marineros salían a pescar todos los días. Un viernes en la noche se desató una fuerte tormenta en alta mar. Muchas personas acudieron a orar por los marineros que no habían regresado a puerto.

En la mañana, después de esa terrible tormenta, el Pastor clavó en las puertas de su iglesia un cartel con los nombres de nueve marineros. Sobre los nombres escribió: "Perdidos en el mar". La noticia cundió por toda la ciudad, y uno tras otro los nueve hombres vinieron a protestar a donde el Pastor. Después de cada protesta, el pastor tachaba un nombre.

En el Culto de esa noche, el pastor explicó: "A mí se me pidió que orara por la salvación de once personas del naufragio del viernes. Sólo dos vinieron a solicitarme que diera gracias por su feliz retorno a tierra y su salvación de la muerte segura. Di por sentado que los otros nueve se habían ahogado."

...

La gratitud es la memoria del corazón.

El Pastor y Su Hijo

Todos los domingos por la tarde, después del servicio mañanero en la iglesia, el Pastor y su hijo de 11 años iban al pueblo a repartir tratados con palabras de aliento y esperanza a cada persona que veían. Aquel domingo en particular, cuando llegó la hora de ir al pueblo a repartir los tratados, estaba muy frío afuera y comenzó a lloviznar. El niño se puso su ropa para frío y le dijo a su padre, "OK, Papá, estoy listo". Su Papá-Pastor le dijo, "¿Listo para qué?" "Papá; es hora de ir afuera y repartir nuestros tratados." El Papá respondió: "Hijo, está muy frío afuera y está lloviznando."

El niño miró sorprendido a su padre y le dijo, "Pero Papá, la gente se está perdiendo, llenos de tristeza aún en los días lluviosos." El Papá contestó: "Hijo, no voy a ir afuera con este tiempo." Con desespero, el niño dijo, ¿Papá, puedo ir yo solo? ¿Por favor? Su padre titubeó por un momento y luego dijo, "Hijo, tú puedes ir. Aquí tienes los tratados, ten cuidado." "¡Gracias, Papá!"

Y con esto, el niño se fue debajo de la lluvia. El niño de 11 años caminó todas las calles del pueblo, puerta por puerta repartiendo los tratados a las personas que veía. Después de 2 horas caminando bajo la lluvia, con frío y su último tratado en mano, se detuvo en una esquina y miró a ver si veía a alguien a quién darle el tratado, pero las calles estaban totalmente desiertas. Entonces se viró hacia la primera casa que vio, comenzó a caminar hacia la puerta del frente y tocó el timbre. Tocó el timbre varias veces, espero y nadie salió. Finalmente, el niño se volteó para irse, pero algo lo detuvo. El niño se volteó nuevamente hacia la puerta, comenzó a tocar el timbre y a golpear la puerta fuertemente con los nudillos. El niño esperó; algo lo aguantaba ahí frente a la puerta. Tocó nuevamente el timbre y esta vez la puerta se abrió suavemente.

Salió una señora con mirada muy triste y suavemente le preguntó, "¿Qué puedo hacer por ti, hijo?" Con unos ojos radiantes y una sonrisa que te corta las palabras, el niño dijo, "Señora, lo siento si la molesté, pero solo quiero decirle que ¡Jesús realmente la ama! y vine para darle mi último tratado, que habla sobre Jesús y su gran amor. El niño le dio el tratado y se fue. Ella lo llamó desde la puerta y le dijo, "gracias, hijo y que Dios te bendiga."

El próximo domingo por la mañana el pastor ya estaba en el púlpito y cuando comenzó el servicio, dijo, "¿Alguien tiene algún testimonio o algo que quiera compartir?' Suavemente, en la fila de atrás de la iglesia, una señora mayor se puso de pie. Cuando comenzó a hablar, una mirada radiante y gloriosa brotaba de sus ojos. "Nadie en esta iglesia me conoce. Nunca había estado aquí, inclusive hasta el domingo pasado no era cristiana. Mi esposo murió hace un tiempo atrás dejándome totalmente sola en este mundo. El domingo pasado fue un día particularmente frío y lluvioso, y también fue en mi corazón así; tanto que sentí que llegué al final de la línea pues no tenía esperanza, ni ganas de vivir. Entonces tomé una silla y una soga y subí hasta el ático de mi casa. Amarré la soga y la aseguré a las vigas del techo. Entonces me subí a la silla y puse el otro extremo de la soga alrededor de mi cuello. Parada en la silla, tan sola y con el corazón destrozado estaba a punto de tirarme, cuando de repente escuché el sonido fuerte del timbre de la puerta. Entonces pensé, "Esperaré un minuto y quienquiera que sea se irá".

Yo esperé y esperé, pero el timbre de la puerta cada vez era más fuerte e insistente, y luego la persona comenzó a golpear la puerta con fuerza. Entonces me pregunté, ¿Quién podrá ser? Nadie toca mi puerta, ni vienen a verme; solté la soga de mi cuello y fui hasta la puerta, mientras el timbre seguía sonando cada vez más fuerte.

Cuando abrí la puerta no podía creer lo que veían mis ojos; frente a mi puerta estaba el más radiante y angelical niño que jamás había visto. Su sonrisa, ohhh, ¡nunca podré describir su sonrisa! Las palabras que vinieron de su boca hicieron que mi corazón, muerto hacía tanto tiempo, volviera a la vida cuando dijo con voz de querubín, "Señora, solo vine a decirle que Jesús realmente la ama."

"Cuando el pequeño ángel desapareció entre el frío y la lluvia, cerré mi puerta y leí cada palabra del tratado. Entonces fui al ático para quitar la silla y la soga. Ya no la necesitaría más. Como ven, ahora soy una hija feliz del Señor Jesús. Como la dirección de la iglesia estaba en la parte de atrás del tratado, vine personalmente para decirle gracias a ese pequeño ángel de Dios que llegó justo a tiempo y de hecho a rescatar mi vida de una eternidad sin Dios."

Todos lloraban en la iglesia, y le daban Gloria y Honor al Rey de Reyes. El Pastor bajó del púlpito hasta la primera banca del frente donde estaba sentado el pequeño ángel. Tomó a su hijo en sus brazos y lloró y gimió incontrolablemente.

Probablemente la iglesia no tuvo un momento más glorioso, y probablemente este universo nunca ha tenido un padre más lleno de amor y honor por su hijo, excepto por Uno. Este Padre permitió a Su hijo venir a un mundo frío y oscuro. El recibió a Su hijo con una alegría inexplicable, y todo el cielo le dio gloria y honor al Rey de Reyes, sentó a Su hijo amado a la diestra de Su trono y le dio poder sobre todo principado y su nombre es sobre todo nombre. Se llama, Jesús.

...
"Para que todo aquel que en ÉL crea, no se pierda, sino que tenga vida eterna." (Juan 3:16)

El Tren de Vapor

Se narra la historia de una joven madre quien viajaba con su pequeña hija en un tren de vapor por los Estados Unidos. La niña quiso mirar por la ventana del tren y una partícula de algún objeto se le introdujo en uno de sus ojos. La niña comenzó a espulgarse el ojo, tratando de extraer la partícula que le molestaba. Al rato, su ojo estaba inflamado, hinchado.

La joven madre tomó a su hija en su falda y trató también, sin éxito, de extraer aquel objeto extraño. Frente a ellas viajaba un hombre, que se ofreció a ayudar a la niña. Pero la madre no quería que nadie se acercase a su hija y se negó a aceptar la ayuda. Aquel hombre no insistió más.

La niña pasó la noche con mucho dolor y su ojo empeoró al amanecer. Su madre tenía mucho temor. Tan pronto llegaron a la próxima estación en el trayecto, la madre y su hija descendieron del tren buscando ayuda. Les dirigieron hacia la oficina de un excelente "oculista" (hoy diríamos, oftalmólogo) de la ciudad. Para la sorpresa de aquella mujer, el médico que atendió a la niña era el mismo hombre que le había ofrecido ayuda el día anterior en el tren.

...

Así somos con Dios, a veces. Dios nos ofrece Su ayuda y la rechazamos por temor a acercarnos, por temor a estar muy cerca de ÉL. ¡Tú puedes cambiar eso que te agobia hoy, acércate y pide ayuda a Dios!

Un Vaso de Leche

Se cuenta que cuando la península de Corea estaba en sus "buenos tiempos" la vida era extremadamente difícil; tanto así que, en una familia, un vaso de leche tenía que ser compartido por todos los niños que hubiera en ella, y eso era considerado como un lujo en la alimentación. Cada niño estaba acostumbrado a la escasez de leche, y ya sabía cuánto podía beber, ¡cuando la tenían!

Durante la guerra que hubo en Corea (de junio de 1950 a junio de 1953), muchos niños se extraviaron, y se dio el siguiente caso: Una enfermera de la Cruz Roja encontró a uno de tales niños, y al verlo perdido lo recogió, y dándose cuenta que estaba hambriento, le dio un vaso de leche. El niño ansiosamente comenzó a beber; de repente dejó de hacerlo, y preguntó a la enfermera cuántos "traguitos" podía beber. La enfermera, conmovida y con lágrimas en los ojos, le dijo: "toda es para ti, bébela toda."

...

¿Cuántas cosas te ha dado Dios? Cada amanecer, es para ti. Cada vez que inhalas oxígeno, es todo para ti. Cuando escuchas la risa de la niñez, es para ti. Cada abrazo, cada sonrisa, cada amistad, es para que la disfrutes tu.

Un Tazón de Madera

Honra a tu padre y a tu madre, que es el primer mandamiento con promesa; para que te vaya bien, y seas de larga vida sobre la tierra. Efesios 6:2-3

El viejo se fue a vivir con su hijo, su nuera y su nieto de cuatro años. Ya las manos le temblaban, su vista se nublaba y sus pasos flaqueaban. La familia completa comía junta en la mesa, pero las manos temblorosas y la vista enferma del anciano hacían el alimentarse un asunto difícil. Los guisantes caían de su cuchara al suelo, y cuando intentaba tomar el vaso, derramaba la leche sobre el mantel.

El hijo y su esposa se cansaron de la situación. "Tenemos que hacer algo con el abuelo", dijo el hijo. "Ya he tenido suficiente. Derrama la leche, hace ruido al comer y tira la comida al suelo". Así fue como el matrimonio decidió poner una pequeña mesa en una esquina del comedor. Ahí el abuelo comía solo, mientras los demás disfrutaban de su cena familiar.

Como el abuelo había roto uno o dos platos, su comida se la servían en un tazón de madera. De vez en cuando miraban hacia donde estaba el abuelo y podían ver una lágrima en sus ojos mientras estaba ahí sentado sólo. Sin embargo, las únicas palabras que la pareja le dirigía, eran fríos llamados de atención cada vez que dejaba caer el tenedor o la comida.

El niño de cuatro años observaba todo en silencio. Pero una tarde antes de la cena, el papá observó que su hijo estaba jugando con trozos de madera en el suelo y le preguntó dulcemente: "¿Qué estás haciendo hijo?" Con la misma dulzura el niño le contestó: "Ah, estoy haciendo un tazón para ti y otro para mamá para que cuando yo crezca, ustedes coman en ellos." Sonrió y siguió con su tarea.

Las palabras del pequeño golpearon a sus padres de tal forma, que quedaron sin habla. Las lágrimas rodaron por sus mejillas, y aunque no se dijo ninguna palabra al respecto, ambos supieron lo que tenían que hacer.

Esa tarde el esposo tomó gentilmente la mano del abuelo y lo guio de vuelta a la mesa de la familia. Por el resto de sus días ocupó un lugar en la mesa con ellos. Y por alguna razón, ni el esposo ni la esposa, parecían molestarse cada vez que el tenedor se caía, la leche se derramaba o se ensuciaba el mantel.

...

¿Cuál ejemplo estamos dejando grabado en la mente de nuestros pequeños?

¿Qué es lo Más Importante que Has Hecho en Tu Vida?

En cierta ocasión, durante una charla que di ante un grupo de abogados, me hicieron esta pregunta: ¿Qué es lo más importante que ha hecho en su vida? La respuesta me vino a la mente en el acto, pero no fue la que di, porque las circunstancias no eran las apropiadas. En mi calidad de abogado de la industria del espectáculo, sabía que los asistentes deseaban escuchar anécdotas sobre mi trabajo con las celebridades.

Lo más importante que he hecho en la vida, tuvo lugar el 8 de octubre de 1990. Comencé el día jugando golf con un amigo mío al que no había visto en mucho tiempo. Entre jugada y jugada, conversamos acerca de lo que estaba pasando en la vida de cada cual. Me contó que su esposa y él acababan de tener un bebé. Mientras jugábamos, llegó el padre de mi amigo, que consternado, le dijo que su bebé había dejado de respirar y lo habían llevado de emergencia al hospital. En un instante, mi amigo subió al auto de su padre y se marchó.

Por un momento me quedé donde estaba, sin acertar a moverme, pero luego traté de pensar qué debía hacer: ¿Seguir a mi amigo al hospital? Mi presencia allí, me dije, no iba a servir de nada, pues la criatura seguramente estará al cuidado de médicos y enfermeras, y nada de lo que yo hiciera o dijera iba a cambiar las cosas. ¿Brindarle mi apoyo moral? Eso, quizás, pero tanto él como su esposa provenían de familias numerosas, sin duda estarán rodeados de parientes, que les ofrecerán consuelo y el apoyo necesario, pasara lo que pasara. Lo único que haría yo sería estorbar.

Así, que decidí reunirme con algunos familiares e ir más tarde a ver a mi amigo. Al poner en marcha el auto, me percaté que mi amigo había dejado su camioneta, con las llaves puestas, estacionada junto a las canchas. Decidí pues, cerrar el auto e ir al hospital a entregarle las llaves.

Como supuse, la sala de espera estaba llena de familiares que trataban de consolarlos. Entré sin hacer ruido y me quedé junto a la puerta, tratando de decidir qué hacer. No tardó en presentarse un médico, que se acercó a la pareja y, en voz baja, les comunicó que su bebé había fallecido.

Durante lo que pareció una eternidad, estuvieron abrazados, llorando, mientras todos los demás los rodeamos en medio del silencio y el dolor. El médico les preguntó sí deseaban estar unos momentos con su hijo. Mi amigo y su esposa se pusieron de pie, y caminaron resignadamente hacia la puerta.

Al verme allí, en un rincón, la madre se acercó, me abrazó y comenzó llorar. También mi amigo se refugió en mis brazos. "Gracias por estar aquí, me dijo". Durante el resto de la mañana, permanecí sentado en la sala de emergencias del hospital, viendo a mi amigo y a su esposa sostener en brazos a su bebé y despedirse de él.

Eso, es lo más importante que he hecho en mi vida.

Aquella experiencia me dejó tres enseñanzas:

Primera: Lo más importante que he hecho en la vida, ocurrió **cuando no había absolutamente nada que yo pudiera hacer**. Nada de lo que aprendí en la universidad, ni en los seis años que llevaba ejerciendo mi profesión, ni todo lo racional que fui para analizar mis alternativas, me sirvió en tales circunstancias. A dos personas les sobrevino una desgracia, y yo era impotente para remediarla. Lo único que pude hacer fue acompañarlos y esperar el desenlace. Pero estar allí en esos momentos, en que alguien me necesitaba, era lo principal.

Segunda enseñanza: Estoy convencido, que lo más importante que he hecho en mi vida, estuvo a punto de no ocurrir, debido a las cosas que aprendí en la universidad, al concepto inculcado de ser racional, así como en mi vida profesional. **Al aprender a pensar, casi me olvidé de sentir**. Hoy, no tengo duda alguna que debí haber subido al carro sin titubear, y seguir a mi amigo al hospital.

Tercera enseñanza: Aprendí que **la vida puede cambiar en un instante.** Intelectualmente, todos sabemos esto, pero creemos que las desdichas les pasan a otros. Así pues, hacemos planes y concebimos nuestro futuro como algo tan real, que pareciera que va a ocurrir. Pero, al ubicarnos en el mañana, dejamos de advertir todos los presentes que pasan junto a nosotros, y olvidamos que perder el empleo, sufrir una enfermedad grave o un accidente, toparse con un conductor ebrio y miles de cosas más, pueden alterar ese futuro en un abrir y cerrar de ojos.

Desde aquel día, busqué un equilibrio entre el trabajo y la vida; aprendí que ningún empleo, por gratificante que sea, compensa perderse unas vacaciones, romper con la pareja o pasar un día festivo lejos de la familia. Y aprendí que lo más importante en la vida, no es ganar dinero, ni ascender en la escala social, ni recibir honores.

...

Lo más importante en la vida, es el tiempo que dedicamos a cultivar una amistad.

Mi Padre Me Verá Jugar Hoy

Un muchacho vivía solo con su padre; ambos tenían una relación extraordinaria y muy especial. El joven pertenecía al equipo de baloncesto de su escuela. Usualmente no tenía la oportunidad de jugar, sin embargo, su padre permanecía siempre en las gradas haciéndole compañía en cada partido.

El joven era el más bajo en estatura de su clase. Pese a ello, cuando comenzó la secundaria insistió en participar en el equipo de baloncesto de su escuela. Su padre le daba orientación y le explicaba que no tenía que jugar baloncesto si no lo deseaba; pero, el hijo amaba el baloncesto y no faltaba a una práctica, ni a un juego. Estaba decidido a dar lo mejor de sí, ¡se sentía felizmente comprometido!

Durante su paso por la secundaria, lo recordaron como "El calentador de banco" (o “come banco”), debido a que siempre permanecía sentado. A pesar de esto, su padre lo animaba con su espíritu de aliento y el mejor apoyo que hijo alguno podía esperar.

Cuando comenzó la Universidad, intentó entrar al equipo de baloncesto; todos estaban seguros que no lo lograría, pero el entrenador le dio la noticia, admitiendo que lo había aceptado además por la manera como él demostraba entregar su corazón y su alma en cada una de sus prácticas y porque eso contagiaba a los demás miembros del equipo con una gran dosis de ánimo.

La noticia llenó por completo su corazón, corrió al teléfono más cercano y llamó a su padre, quien compartió con él la emoción. Todas las temporadas, le enviaba a su padre las entradas para que asistiera a los juegos de la universidad. El joven atleta era muy persistente, nunca faltó a una práctica, ni a un juego durante los cuatro años de la universidad, sin embargo, nunca tuvo la oportunidad de participar activamente en ningún juego.

Cuando se acercaba el final de la temporada, justo unos minutos antes que comenzara el primer juego de las eliminatorias, el entrenador le entregó al joven un telegrama. El joven lo tomó y luego de leerlo lo guardó en silencio, tragó muy fuerte y temblando le dijo al entrenador: *"Mi padre murió esta mañana. ¿No hay problema de que falte al juego de hoy?* El entrenador le abrazó y le dijo: ***"Tómate el resto de la semana libre, hijo, y no se te ocurra venir el sábado".***

Llegó el sábado y el juego no estaba muy bien. En el tercer cuarto cuando el equipo tenía 10 puntos de desventaja, el joven entró al vestuario, calladamente se colocó el uniforme y corrió hacia donde estaba el entrenador y su equipo, quienes estaban impresionados de ver a su luchador compañero de regreso. *"Entrenador, por favor, permítame jugar... yo tengo que jugar hoy"*, imploró el joven.

El entrenador fingió no escucharlo. De ninguna manera podía permitir que su peor jugador entrara en el cierre de las eliminatorias, pero el joven insistió tanto, que finalmente el entrenador sintiendo lástima, lo aceptó: *"OK, hijo, puedes entrar. La cancha es toda tuya"*.

Minutos después el entrenador, el equipo y el público, no podían creer lo que estaban viendo. El pequeño desconocido, que nunca había participado en un juego, estaba haciendo todo perfectamente bien. Nadie podía detenerlo en la cancha, corría fácilmente como toda una estrella. Su equipo ganó el juego; la gente que estaba en las gradas gritaba emocionada y su equipo lo cargó por toda la cancha.

Finalmente, cuando todo terminó, el entrenador notó que el joven estaba sentado calladamente y solo en una esquina. Se acercó y le dijo: *"Muchacho, no puedo creerlo, ¡estuviste fantástico! Pero, dime: ¿cómo lo lograste?"* El joven miró al entrenador y le dijo: *"Usted sabe que mi padre murió... pero, ¿sabía que mi padre era ciego?"* El joven hizo una pausa y trató de sonreír. *"Mi padre asistía a todos mis juegos, pero hoy sería la primera vez que él podría verme jugar y yo quise mostrarle que sí podía hacerlo."*

...

En la Eternidad con Dios no habrá limitaciones.

A Dios le Agradezco

1) Por mis hijas que no limpian sus cuartos, pero están viendo la tele, la Tablet o la laptop, porque significa que están en casa y no en las calles.
2) Por los descuentos en mi sueldo, porque significa que estoy trabajando.
3) Por el desorden que tengo que limpiar después de una fiesta, porque significa que estuve rodeado de seres queridos.
4) Por las ropas que me quedan un poco ajustadas, porque significa que tengo suficiente para comer.
5) Por mi sombra que me ve trabajar, porque significa que puedo ver salir al sol.
6) Por el césped que tengo que cortar, ventanas que necesito limpiar, cañerías que arreglar, porque significa que tengo una casa.
7) Por las quejas que escucho acerca del gobierno, porque significa que tenemos libertad de expresión.
8) Por el lugar para estacionar que encuentro al final del estacionamiento, porque significa que tengo auto.
9) Por la señora que está detrás de mí en la iglesia y que desentona al cantar, porque significa que puedo oír.
10) Por la cantidad que tengo que lavar y planchar, porque significa que tengo ropa que vestir.
11) Por el cansancio y los dolores musculares al final del día, porque significa que fui capaz de trabajar duro.
12) ¡Por el despertador que suena temprano todas las mañanas, porque significa que estoy vivo!
13) Y finalmente, doy gracias a Dios por la cantidad de mensajes que recibo, porque significa que tengo amigas y amigos que piensan en mí.

…
Gracias, Dios.

SOBRE LA PERSONA DE JESÚS

Purificador de Plata

Había un grupo de mujeres reunidas en su estudio bíblico semanal, y mientras leían el libro de Malaquías encontraron un versículo que dice: "Y Él se sentará como fundidor y purificador de plata", este verso les intrigó en gran manera acerca de qué podría significar esta afirmación con respecto al carácter y la naturaleza de Dios. Una de las mujeres se ofreció a investigar el proceso de la purificación de la plata.

Esa semana la dama llamó a un orfebre e hizo una cita para ver su trabajo. Ella no le mencionó detalles acerca de la verdadera razón de su visita, simplemente dijo que tenía curiosidad sobre la purificación de la plata.

Mientras observaba al orfebre sostener una pieza de plata sobre el fuego dejándolo calentar intensamente, él le explicaba que, para refinar la plata, debía ser sostenida en medio del fuego donde las llamas arden con más fuerza, para así sacar las impurezas.

En ese momento ella imaginó a Dios sosteniéndonos en un lugar así de caliente. Entonces recordó una vez más el versículo "Y Él se sentará como fundidor y purificador de plata". Le preguntó al platero si era cierto que él debía permanecer sentado frente al fuego durante todo el tiempo que la plata era refinada. El hombre respondió: "Si, no sólo debo estar aquí sentado sosteniendo la plata, también debo mantener mis ojos fijamente en ella durante el tiempo que está en el fuego, si la plata fuese dejada un instante más de lo necesario sería destruida."

La mujer se mantuvo en silencio por un momento y luego preguntó. "¿Cómo sabe cuándo ya está completamente refinada?" El orfebre sonrió y le respondió: "Ah, muy simple. Cuando puedo ver mi imagen reflejada en ella."

Si hoy sientes el calor del fuego, recuerda que Dios tiene sus ojos puestos en ti y continuará observándote hasta que vea Su imagen en ti.

...

Lee a Malaquías 3:3

La Puerta del Corazón

Un hombre había pintado un lindo cuadro. El día de la presentación al público, asistieron las autoridades locales, fotógrafos, periodistas, y mucha gente, pues se trataba de un famoso pintor, un reconocido artista.

Llegado el momento, se tiró el paño que revelaba el cuadro. Hubo un caluroso aplauso. Era una impresionante figura de Jesús tocando suavemente la puerta de una casa. Jesús parecía vivo. Con el oído junto a la puerta, parecía querer oír si adentro de la casa alguien le respondía.

Hubo discursos y elogios. Todos admiraban aquella preciosa obra de arte. Un ancianito, observador muy curioso, encontró una falla en el cuadro. La puerta no tenía cerradura. Y fue a preguntar al artista: "Su puerta no tiene cerradura, ¿Cómo se hace para abrirla?" "Así es," respondió el pintor. "Porque esa es la puerta del corazón del ser humano; sólo se abre por el lado de adentro".

...

¿Te animas a abrir tu puerta y dejar entrar a Jesús?

Dos Encuentros con Jesús: Gracia y Misericordia

Alguien ha interpretado la "Misericordia" como lo que el ser humano recibe de Dios cuando no recibe lo que merece. El pago por el pecado es muerte, pero la misericordia de Dios hace posible que obtengamos una salida, una nueva oportunidad. Pregúntale a David; pregúntale a Zaqueo; pregúntale a Saulo de Tarso; pregúntale a Bartimeo; pregúntale a la mujer adúltera; o... pregúntate a ti mismo(a)...

"Gracia", entonces, es definida como lo que el ser humano recibe cuando recibe aquello que no merecía recibir. No es un juego de palabras, ni una frase bonita. Es una realidad del Reino de Dios. En este Reino cuando un ser humano se acerca a Dios recibe bendiciones que no esperaba recibir. Gracia es el acto, la acción definitiva del amor ágape, del amor incondicional del Dios que decidió amarnos con amor eterno. Pregúntale a Salomón; pregúntale a José (hijo de Jacob); pregúntale a Abraham; pregúntale a Ana; a María; a José (de Nazareth); pregúntale a Nicodemo; pregúntale al paralitico de Bethesda; pregónatele a la mujer del flujo de sangre; pregúntale a Juan; o...pregúntate a ti mismo(a)...

Dos encuentros con Jesús...

PRIMER ENCUENTRO: Bartimeo

Texto: S. Marcos 10:46-52 (Versión Reina-Valera 1995)
46 Entonces vinieron a Jericó; y al salir de Jericó él, sus discípulos y una gran multitud, Bartimeo, el ciego, hijo de Timeo, estaba sentado junto al camino, mendigando. 47 Al oír que era Jesús Nazareno, comenzó a gritar: —¡Jesús, Hijo de David, ¡ten misericordia de mí! 48 Y muchos lo reprendían para que callara, pero él clamaba mucho más: —¡Hijo de David, ten misericordia de mí! 49 Entonces Jesús, deteniéndose, mandó llamarlo; y llamaron al ciego, diciéndole: —Ten confianza; levántate, te llama. 50 Él entonces, arrojando su capa, se levantó y vino a Jesús. 51 Jesús le preguntó: —¿Qué quieres que te haga? El ciego le dijo: —Maestro, que recobre la vista. 52 Jesús le dijo: —Vete, tu fe te ha salvado. Al instante recobró la vista, y seguía a Jesús por el camino.

Es bueno recordar que éste es el último acto de sanidad registrado por escrito en el Evangelio según San Marcos. Ocurrió a lo largo del propio camino de sufrimiento y muerte que le esperaba a Jesús en Jerusalén. Es el cuadro de un necesitado que tuvo <u>fe persistente</u> y recibió la <u>misericordia</u> de Dios que le sanó y, como resultado, siguió a Jesús en el Camino. Sin duda este fue el caso de muchos de los que siguieron a Jesús, aun durante la terrible semana final. Marcos (uno de los discípulos de Jesús) recordó el nombre de aquel hombre, y como era su costumbre, lo traduce (de Bartimeo a, "hijo de" Timeo.) Como a muchos de nuestro mundo, al hombre se le conocía por el nombre de su padre, pero puede haber sido bien conocido por la iglesia primitiva más tarde porque había seguido a Jesús. (¡Ojo!) Este hombre recibió misericordia: pues no recibió lo que merecía de acuerdo a la tradición judía pues era un ciego, pobre, mendigo y, según la Ley, no merecía nada, sino el castigo de ser ciego.

En comparación con otra persona sanada, vemos dos respuestas distintas a la misma pregunta: *¿Quieres ser sano?*

SEGUNDO ENCUENTRO: El paralítico en el Pozo de Bethesda

S. Juan 5:1-9 *"Tiempo después, Jesús regresó a la ciudad de Jerusalén para asistir a una fiesta de los judíos. 2 En Jerusalén, cerca de la entrada llamada «Puerta de las Ovejas», había una piscina con cinco puertas que en hebreo se llamaba Bethesda. 3-4 Allí se encontraban muchos enfermos acostados en el suelo: ciegos, cojos y paralíticos. 5 Entre ellos había un hombre que desde hacía treinta y ocho años estaba enfermo. 6 Cuando Jesús lo vio allí acostado, y se enteró de cuánto tenía de estar enfermo, le preguntó: —¿Quieres ser sano? 7 El enfermo contestó: —Señor, no tengo a nadie que me meta en la piscina cuando el agua se remueve. Cada vez que trato de meterme, alguien lo hace primero. 8 Jesús le dijo: —Levántate, alza tu camilla y camina. 9 En ese momento el hombre quedó sano, alzó su camilla y comenzó a caminar."*

La pregunta *¿quieres ser sano?* puede haber tenido la intención de sacar al hombre de su apatía, pero la respuesta no revela fe alguna de parte de aquel hombre. Es claro que él pensaba en términos más bien mágicos, como muestra el v. 7, porque creía como los demás que el primero que entrara al agua tenía alguna oportunidad de curarse. Parece haber pensado que la pregunta de Jesús no merecía una respuesta. (¡Ojo!) Este hombre recibió gracia, pues recibió lo que no merecía; lo que merecía era indiferencia por su apatía, pero recibió sanidad divina.

¿Cuál será nuestra respuesta a la invitación que nos hace Jesús al encontrarnos con EL hoy? ¿Podremos creerle a Dios hoy?

¿Quieres ser sano?

¿Quieres ser sano de tantos dolores, angustias, depresiones, ceguera espiritual, resentimientos profundos que han echado raíces de amargura? ¿Quieres ser sano de tanto dolor que no te permite seguir adelante? ¿Quieres ser sano de tus enfermedades, vicios, malas costumbres, de tus ataduras? Te pregunta el Señor. ¿Quieres ser sano?

Hay dos respuestas: la de Bartimeo y la del paralítico de Bethesda. El ciego respondió específicamente. El paralítico argumentó su excusa, su queja. El ciego conocía con quién estaba hablando y quién le había preguntado. El paralítico parece que no sabía. ¿Y nosotros, sabemos?

No esperes a que todo se resuelva para acercarte a Dios, acércate a Dios para que todo se resuelva. *"Acercaos a Dios pues Dios quiere acercarse a vosotros."* (Santiago 4:8)

...

¿Qué tú dices?

Solo Hay Uno

Hace casi dos mil altos nació un hombre en contra de todas las leyes de la vida.

Este hombre vivió en la pobreza y creció en el anonimato.

Viajó muy poco. Solamente una vez cruzó la frontera del país donde vivió; eso fue durante su niñez cuando fue exiliado.

No poseía ni riqueza ni influencia. Su familia era humilde y sin educación formal.

Durante su infancia atemorizó a un rey; en su niñez asombró a doctores; como hombre dominó a la naturaleza, caminando sobre el mar como si fuera tierra firme y calmando la tormenta con su voz.

Sanó a multitudes sin medicina y no cobró por sus servicios.

Nunca escribió un libro y sin embargo todas las bibliotecas de un país no alcanzarían para contener los libros que han sido escritos sobre él.

Nunca escribió una canción, pero ha sido el tema de miles de canciones.

Nunca fundó una escuela, pero todos los colegios juntos no reúnen tantos estudiantes como él.

Nunca formó un ejército, ni usó un arma; pero ningún prócer tuvo más servidores voluntarios, quienes, bajo sus órdenes han logrado que rebeldes depongan sus armas y se rindan sin descargar un solo tiro.

Nunca practicó psiquiatría, pero ha curado más corazones heridos que todos los médicos.

Una vez por semana las ruedas del comercio dejan de girar y multitudes se dirigen a lugares de culto para rendirle homenaje y respeto.

Los nombres de los grandes estadistas de Grecia y de Roma han pasado. Los nombres de hombres de ciencia, filósofos y teólogos han pasado, pero el nombre de este Hombre crece cada día más.

Aunque han transcurrido casi dos mil años entre su crucifixión y nuestra generación, él vive hoy. Herodes no lo pudo matar y la tumba no lo pudo retener.

ÉL se destaca, encumbrado a la gloria celestial, proclamado por Dios, reconocido por los ángeles, adorado por los santos y temido por los diablos como el Cristo viviente y personal, nuestro Señor y Salvador.

Nuestro destino es estar para siempre o con él o sin él.

Fue el incomparable Cristo quien dijo: "Yo soy el camino, la verdad y la vida; nadie viene al Padre sino por mi" (S. Juan)

...

Solo hay uno: *¡Jesucristo, el Señor Incomparable!*

Los Amigos, el Paralítico y Jesús

Este relato surge del Evangelio. Se cuenta que Jesús estaba en una casa y había tanta gente que no podía entrar nadie más. La gente aglomerada traía sus familiares enfermos para que Jesús los sanara. Pero, eran tantos que no cabían en la casa.

Este relato en específico, cuenta de cuatro hombres que traían a un amigo que era paralítico. Al no poder entrar a la casa, estos amigos no temieron subirse al techo de la casa donde estaba Jesús, en donde había una multitud, no temieron y abrieron un hueco en el techo (probablemente no tenían herramientas, no tenían recursos, pero con lo tenían, con eso abrieron el hueco para bajar al amigo) y bajaron al paralítico con todo y camilla hasta los pies de Jesús. ¡Uff, tanto esfuerzo que les debe haber costado! ¡Lo hicieron por amor a su amigo y con fe! Dos ingredientes indispensables para agradar y llamar la atención del Señor: amor y fe.

Dice el Evangelio que, ***cuando Jesús vio la fe de ellos,*** le dijo al paralítico (escuchen bien lo que Jesús le dijo; le dijo: ***"Hijo: tus pecados te son perdonados."***) "Hijo", Jesús le dijo "Hijo". ¿Se imaginan ustedes la sorpresa del paralítico, de los amigos, de los espectadores? Jesús le dijo "Hijo" a un enfermo; a un "contaminado;" a un "inmundo"; a uno considerado "pecador"; a uno que no merecía ninguna consideración ni misericordia, de acuerdo a la ley rabínica. Pero, Jesús le llamó "Hijo." ¡Jesús, le amó! A Jesús no le molestó que le interrumpieran mientras enseñaba, Jesús decidió amarlo, ***por la fe de ellos, sus amigos.***

Los exégetas bíblicos, que han estudiado este relato, se han concentrado en explicar la cuestión del perdón de pecados, pues solo Dios podía perdonar pecados, de acuerdo al Antiguo Testamento. Pero yo quisiera concentrarme en la expresión cariñosa de Jesús al llamar a aquel enfermo "Hijo." No me canso de imaginar la emoción de aquel hombre, de aquellos amigos, de los discípulos, de los que estaban en la casa. "Le dijo, "hijo"; le llamó "hijo." ¿Y a mí, me podrá llamar "hijo" también? ¿Y a ti, te podrá llamar "hijo" o "hija" también?

¿Qué hizo el paralítico para ganarse el favor de Jesús, quien los llamó "hijo"? ¡No hizo nada! Así es la gracia de Dios. No podemos hacer nada para que Dios nos ame más o nos ame menos, porque ya Dios nos ama. Lo que tenemos que hacer es acercarnos, procurar intimidad con Jesús y creerle a Dios.

...

Por la fe de ellos. ¿Crees?

Sobre

La Iglesia

Los Jóvenes de la Iglesia

Mientras era Pastor en mi primer nombramiento en Puerto Rico, tuve muchas experiencias enriquecedoras. Recuerdo que los jóvenes eran muy activos y unidos. Luego de sus reuniones de los viernes, se quedaba un grupo más reducido cantando, haciendo chistes y comiendo pizza.

Resulta que el templo de la Iglesia había sido diseñado por un arquitecto norteamericano muy conocido y quien diseñó cerca de cinco templos en Puerto Rico. El techo tenía lo que se le llama "cinco aguas". Es decir, el techo tenía cinco pendientes independientes, aunque todo formaba el techo del templo. La pendiente más cerca de la entrada principal del templo estaba bastante cerca de las rejas que se habían colocado para darle seguridad al templo.

Estas rejas servían como escaleras para subir al techo. Era un lugar especial. Desde allí se observaba la carretera cruzando la autopista. Se veían las montañas, algunas casas, y se estaba cerquita del Cielo. Era un buen "escondite" para la juventud de la Iglesia.

Mis jóvenes eran muy creativos, talentosos y amigables. Su misión era conquistar al mundo para Cristo a través del arte, la música, la amistad, etc. Eran muy queridos y dispuestos a colaborar con la Iglesia. Eran líderes que demostraban su compromiso con la Iglesia de muchas maneras.

Participaban de campamentos de jóvenes y, luego, servían como líderes para los campamentos de los más jovencitos.

Los padres de estos jóvenes eran muy protectores y cuidaban a sus hijos de todas maneras posibles. Cuando se hacía "tarde" en la noche, me llamaban para saber dónde estaban sus hijos. Muchas veces, se encontraban en el techo con sus guitarras cantando o comiendo algo y "chistando" (haciendo chistes).

El templo de la Iglesia quedaba como en una esquina donde solo había un vecino próximo. Sus voces, a veces, llegaban a los oídos de estos vecinos y me llamaban o "daban las quejas" a algún miembro de la Iglesia. Las quejas llegaban filtradas por algunos adultos mayores que no aprobaban la conducta de los jóvenes. La situación escaló a niveles de amenazas al Pastor que apoyaba a los jóvenes.

Algunos de estos jóvenes eran hijos de esos adultos mayores y la incapacidad de relacionarse con sus hijos jóvenes los llevaron a levantar quejas a las autoridades eclesiásticas, incluyendo al Obispo directamente.

No fue fácil, ni agradable confrontar esta situación. Por un lado, estaban las quejas y por el otro, estaban los jóvenes en un lugar seguro, apartados de los vicios de la noche oscura, lejos de los vicios del mundo y dedicados a la obra de la Iglesia. Que yo recuerde, de aquel grupo no hubo quejas de embarazos entre ellos, ni otras situaciones que no fueron manejables, ¿Qué era mejor, que los jóvenes hicieran un poco de ruido o que estuviesen en barras y antros?

Fue una confrontación que, atada a otras situaciones, me llevaron a pasar muchas y largas noches de llanto y dolor, además de malestares en las relaciones con algunos miembros de la Iglesia. Di la batalla en favor de los jóvenes y no me arrepiento pues luego vi crecer y madurar a estos jóvenes y convertirse en líderes, maestros, adoradores, pastores, parejas en matrimonios, estudiosos y colaboradores de la Obra de Dios en la Tierra. A Dios sea la gloria.

Todavía guardo amistad con algunos de aquellos jóvenes. Amistad que atesoro y guardo cercano a mi corazón. Hoy son líderes en sus áreas y personas de bien en la sociedad.

Un poco de ruido sirvió para adelantar la causa de Dios. Yo también fui joven y toqué mi guitarra con mis amigos y en la Iglesia. Espero el día cuando delante de la presencia de Dios, aunque sea un poco desafinado, pueda volver a tocar mi guitarra para adorar a Dios. Entonces no habrá viejos ni jóvenes sino solo adoradores redimidos.

...

Fue por Su gracia.

Qué cosa, ¿verdad?

Qué cosa, ¿verdad? Que un billete de $10.00 se vea tan grande cuando uno lo trae a la Iglesia, pero sea tan poco cuando uno va al supermercado.

Qué cosa, ¿verdad? Como una hora sirviendo a Dios se ve tanto tiempo y cuan poquito nos parecen 60 minutos cuando se gastan jugando pelota, pescando o en las tiendas.

Qué cosa, ¿verdad? Que largas parecen un par de horas en la Iglesia, pero que cortas cuando estamos mirando una película.

Qué cosa, ¿verdad? Como nos emocionamos cuando un juego de baloncesto, béisbol o fútbol se va a tiempo extra, pero nos quejamos cuando un sermón se pasa del tiempo estipulado.

Qué cosa, ¿verdad? Cuanta dificultad nos da leer un capítulo de la Biblia y cuan fácil se nos hace leer el periódico, una revista de farándula o un libro de novela de 200 páginas.

Qué cosa, ¿verdad? Que creemos en todo lo que dicen los noticieros y lo que leemos en los periódicos, pero se nos hace tan difícil y cuestionamos lo que la Biblia dice.

Qué cosa, ¿verdad? Como la gente se pelea por conseguir un asiento al frente en un juego, pero en la Iglesia se sientan en los últimos bancos.

Qué cosa, ¿verdad? Que no podemos colocar una reunión de la Iglesia o una Campaña Evangelística en nuestro calendario del año, pero podemos encontrar espacio para otros eventos sociales con solo un poco de anticipación.

Qué cosa, ¿verdad? Que necesitamos 2 o 3 semanas de anticipación para colocar un evento de la iglesia en nuestro calendario, pero podemos ajustarlo rápidamente si es para un evento social.

Qué cosa, ¿verdad? Que tengamos tanta dificultad para aprendernos y entender algún pasaje o versículo de la Biblia para decirlo y explicarlo a otros, y se nos haga tan fácil aprendernos un chisme sobre otra persona y contarlo con tanta facilidad.

Qué cosa, ¿verdad? Que no podemos pensar en nada que decir cuando oramos, pero no tenemos dificultad en pensar en cosas para hablar con nuestros amigos.

Qué cosa, ¿verdad? Tan rápido que aceptamos direcciones de cualquier extraño cuando nos perdemos y tan difícil que se nos hace aceptar la dirección que Dios nos da para encontrarnos con El.

Qué cosa, ¿verdad? Cuanta energía consumimos pensando en el "qué dirán los demás de mi", y tan poquito que nos importa lo que Dios piensa de mí.

Qué cosa, ¿verdad? Cuantas personas que vienen a la iglesia cantan "Las Promesas del Señor mías son", pero realmente solo están sentados en los predios del Señor.

Qué cosa, ¿verdad? Como llegamos a pensar que podemos lograr nuestras metas en la vida sin Dios, en vez de pensar en lo que podríamos lograr si pasáramos una hora con El.

Qué cosa, ¿verdad? Que todo el mundo quiere llegar al Cielo, sin tener que creer, ni pensar, ni decir, ni hacer nada.

...

Para pararse delante de cualquier reto, hay que pasar tiempo de rodillas con Jesús.

Seamos La Iglesia

Me parece apropiado establecer en estos momentos que el Evangelio de Cristo entre nosotros es el acto más amoroso, piadoso y majestuoso que Dios quiso hacer en favor de las personas necesitadas de fe, esperanza y amor. La Iglesia, las comunidades de fe, los que hemos recibido ese regalo, deseamos compartirlo con otras personas.

A nosotros, Dios nos encontró viviendo en pecado. Y nos amó, así como estábamos para perdonarnos y traer una nueva vida. Eso no puede olvidarse y deseamos compartirlo con otros.

No deseamos imponer nuestra manera de creer, nuestra fe, pero, si alguien nos pregunta, entonces es nuestra responsabilidad amarlo como nos amaron a nosotros. Si fuimos bendecidos, deseamos bendecir a los demás. Si nos restauraron, deseamos lo mismo para los demás que se sientan rotos como nos sentíamos nosotros.

Amados, para amar. Perdonados, para perdonar. Sanados, para sanar. Bendecidos, para bendecir.

…

Seamos esa Iglesia.

Nuestros Ancianos y Ancianas

Los avances de la ciencia y los progresos de la medicina han contribuido a prolongar la duración promedio de la vida humana. Esto ha producido una serie de cambios en la composición de la población. Afortunadamente para nuestra generación, tenemos una población creciente de ancianos y ancianas.

¿Qué significan para nosotros y nosotras los ancianos y ancianas de nuestra iglesia? La respuesta a esta pregunta la encontré en las afirmaciones de Kofi Annan, Secretario General de las Naciones Unidas, con motivo de la Declaración, en el 1999, del *Año Internacional de los Ancianos.* Él decía, *"Una sociedad para todas las edades, es una sociedad que, lejos de hacer una caricatura de los ancianos presentándolos como enfermos y jubilados, los considera más bien agentes y beneficiarios del desarrollo".*

Con la dedicación de este día a nuestros ancianos y ancianas queremos decirles que respetamos su dignidad y sus derechos fundamentales. Ustedes tienen mucho que dar a nuestra vida y su dignidad radica en que son hijos e hijas de Dios.

La calidad de vida de nuestros ancianos y ancianas dependerá sobre todo de nuestra capacidad de apreciar su sentido y su valor, tanto en el ámbito secular como en el de la fe. Una mujer de 101 años dijo, *"Ya tengo 101 años, pero ¿sabes por qué soy fuerte? Físicamente estoy algo impedida, pero espiritualmente hago todo, no dejo que las cosas físicas me abrumen, no les hago caso. No es que viva la vejez porque no le hago caso: ella sigue por su camino, y yo la dejo. El único modo de vivirla bien es vivirla en Dios."*

Esta iglesia tiene ante si dos retos. Por un lado, tiene la responsabilidad para con nuestros ancianos y ancianas de ayudarles a captar su sentido de vida, ayudarles a que consideren sus propios recursos para que superen el rechazo, el autoaislamiento, la resignación a un sentimiento de inutilidad y de desesperación. Por otro lado, tiene la responsabilidad para con las generaciones de hoy de prepararlas social y espiritualmente para que puedan vivir con dignidad y plenitud esa etapa de sus vidas.

La ciencia y la tecnología parecen haber reemplazado la utilidad de la experiencia de vida acumulada por los ancianos y ancianas. Pero, en este día queremos expresarles que ustedes tienen muchas cosas que declarar a las nuevas generaciones y muchas cosas que compartir con ellas. Su experiencia de vida nos ayuda a convertir a nuestra sociedad y a nuestra iglesia en una que sea más agradable y humana. Ustedes nos enseñan la importancia de vivir y nos recuerdan que debemos romper con la indiferencia que disminuye, desalienta y detiene la compasión y la misericordia.

Sin su memoria corremos el riesgo de perder nuestro sentido de la historia y, con la perdida de nuestra historia, nos arriesgamos a perder nuestra identidad. Una sociedad que pierde su historia corre el riesgo de repetir más fácilmente los errores del pasado.

Nuestra vida está dominada por los afanes, la agitación y las aflicciones de una vida desordenada, que olvida que procedemos del Creador. Su vida aquí en la iglesia nos recuerda la importancia de los valores cristianos. Ustedes nos recuerdan que estos valores constituyen un recurso indispensable para dar equilibrio a nuestra sociedad y a nuestras vidas.

Las Escrituras también nos recuerdan la importancia que Dios le da a esa etapa de la vida. En Levítico 19:32 nos dice: *"Ponte de pie en presencia de los mayores. Respeta a los ancianos. Teme a tu Dios. Yo Soy el Señor."* Además del mandamiento con promesa *"Honra a tu padre y a tu madre para que tus días se alarguen aquí en la Tierra."* Del vientre estéril de Sara y del cuerpo centenario de Abrahán nace el Pueblo elegido de Dios. Dios escogió un anciano, Moisés, para liberar a su Pueblo. De Elizabeth y de un viejo cargado de años, Zacarías, nace Juan el Bautista, el que prepara el camino para Cristo. El anciano y la anciana tienen motivos para sentirse instrumento de la historia de la salvación. Eso lo vemos cuando leemos en el Salmo 91:16 que dice: *"Le haré disfrutar de larga vida, y le mostraré mi salvación"*, promete el Señor.

Recuerda querida y querido anciano, el poder de Dios se puede revelar en cualquier etapa de la vida, incluso cuando ésta se ve marcada por límites y dificultades. En 1 de Corintios 1:27-28 dice que *"Dios ha escogido lo que el mundo considera necio para confundir a los sabios; ha elegido lo que el mundo considera débil para confundir a los fuertes; ha escogido lo vil, lo despreciable, lo que no es nada a los ojos del mundo para anular a quienes creen que son algo. De este modo, nadie puede presumir delante de Dios."* El plan de salvación de Dios se cumple también en la fragilidad de los cuerpos ya no jóvenes.

Iglesia recordemos que, por nuestros ancianos y ancianas, que sólo con ellas y ellos, y gracias a ellas y a ellos, se podrá cantar las alabanzas al Señor de generación en generación, Salmo 79:13.

(Colaboración de Damaris Chico-Pamias)

El Pastor de los Adictos

Mientras era Pastor en una de las iglesias a la cual fui nombrado en Puerto Rico acostumbraba celebrar actividades al aire libre por la noche los viernes. Se llevaba música, danza, pantomima y predicación invitando a las personas a acercarse a Cristo ("Cultos Evangelísticos"). Visitábamos por las tardes la comunidad llevando anuncios casa por casa. También pasábamos con altoparlantes en la van de la iglesia anunciando la actividad. Hacíamos presencia para que la asistencia a la actividad tuviera público y muchas personas entregaran sus vidas a Cristo. Visitábamos, principalmente, comunidades pobres en donde pudiésemos establecer o comenzar una pequeña misión de la iglesia. Casi siempre había un líder de la iglesia que vivía en la comunidad y conocía a las personas allí.

De esta manera fuimos dando a conocer la iglesia, y la comunidad nos comenzó a conocer como una iglesia de servicio y ayuda. Así se iniciaron mis relaciones con las comunidades, pues yo iba a estas actividades y predicaba, repartía anuncios y visitaba enfermos. Poco a poco, las personas fueron tomando confianza y me saludaban y hablaban de sus necesidades. Muchas veces fui invitado a orar por enfermos en casas muy pobres y condiciones muy difíciles. Nunca sentí temor por mi vida, ni fui amenazado. Al contrario, muchas veces fui invitado a entrar a sus casas, tomar café o agua y, cuando alguien moría, me invitaban a sus funerales.

Para aquel entonces, uno de los problemas que más aquejaban a estas comunidades era la adicción a drogas. Yo había tenido cierta exposición a este problema, en parte por mi participación en el servicio a los pacientes de VIH-SIDA (muchos de los cuales se habían contagiado al intercambiar agujas contaminadas). Aunque no era un experto, también había servido como instrumento para acomodar personas con VIH en programas de rehabilitación. De esta manera gané conocimiento sobre la ubicación, requisitos, procesos, etcétera, de los programas públicos y privados de rehabilitación a las drogas.

Según fui conociendo personas, jóvenes, adultos y me fueron identificando como una persona que podría ayudarles, comenzaron a llamarme "el pastor de los adictos". Esta "fama" me permitió acercarme a grupos, personas y familias con necesidades profundas. Entonces, cada vez que llegaba a una comunidad, se acercaban a mi distintas personas o familiares a pedirme ayuda. Gracias a Dios pude llevar a decenas de personas a distintos programas cristianos, salubristas y del gobierno en toda la Isla.

En una ocasión fui a llevar a una joven mujer a un centro cristiano en un barrio rural de un pueblo de la montaña. La joven mujer le pidió a una amiga, quien también usaba drogas, que la acompañara. Al llegar al Centro, separaron a la joven mujer para hacerle una entrevista y evaluación de su condición. Al finalizar, la trajeron a mí y me dijeron que no podían aceptarla porque estaba embarazada y el proceso no sería soportado por el feto. La mujer estaba frustrada y triste. Entonces la administradora del Centro le dijo a la otra joven que nos acompañaba que pasara para hacerle su evaluación. Ella respondió que solo venía como acompañante, que no venía a quedarse. Entonces Dios hizo algo sobrenatural.

La joven que venía con intenciones de quedarse comenzó a convencer a su amiga que fuera a la entrevista y evaluación. Finalmente, la joven fue a la entrevista y decidió quedarse en el programa. Allí le ofrecieron ropa, zapatos, comida, tratamiento y mucho amor. Se quedó felizmente. Pero la historia no queda ahí, la joven hizo el programa completo, conoció al hijo de los pastores que dirigían en Centro, se casó con él y, juntos, fundaron otro centro de rehabilitación en otro pueblo. ¡Gloria a Dios!

Puedo afirmar que Dios obra de maneras sorprendentes y maravillosas.

- - - - - - - - -

En otra ocasión iba a llevar a un joven adicto, a otro centro de rehabilitación en otro barrio en otro pueblo de la montaña. Su madre, que parecía más su abuela que su madre, nos acompañó. Este Centro quedaba en un barrio bien hondo y había que bajar por un camino de barro y piedras. Aquel día había llovido y la van de la iglesia resbalaba mucho. Fue un viaje difícil, muy arriesgado. Yo iba orando todo el camino.

Cuando llegamos al Centro, pudimos observar lo deteriorado que estaba todo. El joven decidió que no quería quedarse allí y yo lo entendí. La humedad del sitio se observaba en el piso, paredes, muebles, etcétera. No era un sitio habitable, fue mi conclusión. Así que no hicimos mucha presión para que se quedara allí y decidimos regresar.

Lo que nos esperaba no era fácil. Al salir del sitio e intentar subir aquel camino, la van de la iglesia comenzó a patinar descontroladamente. Mis oraciones se intensificaron y podía ver el rostro de la madre del joven quien estaba también muy asustada. Fue una experiencia muy difícil y causó gran temor en mí. Gracias a Dios pudimos subir y salir a la carretera.

En otro pueblo de Puerto Rico, la organización sin fines de lucro "Iniciativa Comunitaria" tenía un pequeño centro de rehabilitación en el antiguo Hospital (CDT) del pueblo. Era un sótano y allí se ofrecía un excelente programa de 9 meses que ofrecía medicamentos, terapia y otras actividades de grupo. Era un programa muy bien organizado, gratuito y de excelente evaluación. En varias ocasiones llevé jóvenes que el programa aceptó. Tristemente, los jóvenes no duraban los 9 meses y se salían del programa. Tristemente, al salir, volvían a las mismas condiciones de adicción.

Había otra organización que tenía algunos centros a través de todo Puerto Rico muy bien localizados, equipados y organizados. Allí los jóvenes adictos recibían terapia, alimentos, ropa y comida. Como parte de sus terapias, estos jóvenes salían a vender productos en los semáforos y por las comunidades. Allí se mezclaban los jóvenes que iban voluntariamente con jóvenes en programas de desvío del Departamento de Corrección. Esto representaba un reto pues los que estaban obligados buscaban formas de comprar drogas cuando salían a vender productos. Luego les ofrecían drogas a los que estaban rompiendo el vicio voluntariamente.

La Importancia de La Comunicación

En cierta ocasión una familia inglesa, pasaba unas vacaciones en Escocia, y en uno de sus paseos, observaron una casita de campo que de inmediato les pareció cautivadora para su próximo verano. Indagaron quién era el dueño de ella, y resultó ser un Pastor protestante, al que se dirigieron para que les mostrase la finca. El propietario se la mostró. Tanto por su comodidad como por su ubicación fue del agrado de la familia, la que se quedó comprometida a tomarla en alquiler para su próximo verano.

De regreso a Londres, repasaron detalle por detalle cada habitación y de pronto la esposa recordó no haber visto el **W.C**. (Water Closet, o inodoro). Dado lo práctico que son los ingleses, decidió escribir al pastor, preguntándole por ello en los siguientes términos.

"Estimado Pastor, soy miembro de la familia, que hace unos días visitó su finca con deseos de alquilarla para nuestras próximas vacaciones y como omitimos enterarnos de un detalle, ruego nos indique más o menos donde queda el **W.C**." Finalizó la carta como es de rigor, y se la envió al pastor. Al recibirla el pastor, que desconocía la abreviatura de W.C., creyendo que se trataba de una Capilla a su cuidado, que se llamaba, **W**hite **C**hapel, contestó a la señora en la siguiente forma:

"Estimada señora: Tengo el agrado de indicarle que el lugar al que usted se refiere, queda solo a 7 millas de la casa, lo cual es molesto, sobre todo si se tiene costumbre de acudir con frecuencia; para facilitarlo y con el fin de aprovechar el viaje y la estancia algunas personas llevan la comida y permanecen allí todo el día. Algunos viajan a pie y otros en trenes con la esperanza de llegar puntuales. La primera vez hay que esperarles: ya saben lo molesto que es llegar nuevos a un sitio, que todo el mundo te clave la mirada, por llegar tarde; y lo peor sería que se perdieran por el camino.

La entrada se reconoce por las imponentes escaleras y una única puerta característica, adornada por los símbolos habituales. A la entrada se le da un papel a cada uno. Hay veces que no llega para todos: es entonces cuando los fieles deben compartirlo con su compañero de al lado. Debemos siempre recordar a más de uno que no deben llevárselo a casa, puesto que usamos los mismos papeles en todas las ceremonias del mes.

El lugar es amplio y tiene grandes espacios y jardines. Las vistas son preciosas. Hay sitio para 400 personas sentadas y 100 de pie. Los asientos, reservables para VIPs, están forrados de terciopelo púrpura. El lugar tiene aire acondicionado para evitar sofocaciones. Aunque hace falta cierto esfuerzo para participar en este servicio, soy testigo presencial durante 30 años de que éste ha ayudado a muchos fieles en su vida diaria.

Los niños se sientan juntos y cantan a coro, haciendo

diferentes voces. Todo lo depositado allí, se usa para dar de comer a los pobres del Comedor Social. El año pasado, debido al número creciente de participantes en el servicio tuvimos que contratar un servicio de limpieza. Son expertos y eficientes y en un cortísimo espacio de tiempo limpian la suciedad con la máxima satisfacción de los fieles.

Se recomienda llegar temprano para reservar asiento. Mi vecina, por no hacerlo así, hace unos años, tuvo que soportar todo el acto de pie y desde entonces no viene al servicio.

Hay fotógrafos especiales que toman fotografías en diversas posiciones las cuales serán publicadas en el diario de la ciudad, en la sección VIDA SOCIAL, así el público podrá reconocer a las altas personalidades en actos tan saludables como éste". Así terminó la carta.

Los ingleses al recibir la carta estuvieron a punto de desmayarse a pesar de toda su flema y decidieron cambiar de lugar de veraneo.

Había un hombre que se dedicó a recoger aluminio de la basura. Este hombre iba de bote de basura (zafacón) en bote de basura y por los lados de los caminos tratando de encontrar latas de aluminio. Cuando las encontraba, las guardaba para luego, venderlas.

¡Ojo!: este aluminio no es salvado o rescatado cuando es sacado de los zafacones o botes de basura o de los lados de los caminos. Hay que reconocer que este aluminio ya no está en la basura, y está libre de basura, pero no es totalmente salvado o rescatado, hasta que sea reciclado y utilizado nuevamente para un bien común. ¿Amén?

Básicamente, la salvación es un acto de rescate y liberación, seguido por un proceso de transformación (reformación o reciclaje.) Este proceso, por lo tanto, ocurre en dos partes. Primero, cuando una persona es nacida de nuevo, su espíritu es salvado o rescatado. Pero, hay algo más en esta salvación o salvación, que ser nacido de nuevo. Dios también desea salvar nuestras vidas para que regresen al propósito divino para el cual fuimos creados. Efesios 2:10: *"Porque somos hechura suya, creados en Cristo Jesús para buenas obras, las cuales Dios preparó de antemano para que anduviésemos en ellas."* (Hechos 2:10)

Cuando el hombre cayó en el huerto de Edén, se convirtió en basura. Su justicia se convirtió en trapos de inmundicia. (Isaías 64:6). El plan de salvación fue hecho, pero este plan tiene dos partes. La primera parte de este plan, es la salvación del espíritu del ser humano, cuando éste pone su fe en la obra terminada de Cristo. Después de este paso, sin embargo, permanece otro; y esto es cuando el ser humano es recirculado o reciclado para poder, otra vez, cumplir su propósito original, igual que el aluminio es reciclado.

Por lo tanto, la salvación debe ser salvar o rescatar tanto como sea posible. Hebreos 2:3 *"¿Cómo escaparemos nosotros, si descuidamos una salvación tan grande? La cual, habiendo sido anunciada primeramente por el Señor, nos fue confirmada por los que oyeron."*

La palabra "descuidar" también pudiera ser traducida "no completar" o "no rescatar totalmente." El Libro de Hebreos fue escrito para los cristianos hebreos; no fue escrito para personas que no eran salvas. Por lo tanto, Hebreos 2:3 fue escrito para los individuos que eran ya salvos, no a los perdidos. El predicador promedio que predica de este pasaje, el maestro promedio que enseña de este pasaje, nos enseña que la Escritura nos dice que, si descuidamos ser salvos, no escaparemos la ira de Dios y su juicio.

Aunque el que enseña esto de este pasaje de Escritura no hace una injusticia, éste no enseña la verdad primaria que Dios tenía intencionada para este pasaje. Dios está hablando aquí acerca de personas salvas "descuidando" su propia salvación. Ahí no está hablando Dios de la salvación del bote de la basura; sino que está hablando de la recirculación (reciclaje) o remodelación, reciclaje o transformación. Dios está diciendo que no estaremos completos si no permitimos que nuestra salvación sea completa. La salvación que nos libra del infierno y nos da vida eterna es totalmente de Cristo, pero Dios desea más que nuestras almas salvadas; El desea, también, nuestras vidas salvadas, o rescatadas, recicladas o transformadas.

Dios está diciéndonos aquí que la salvación es nuestra; es decir, la salvación del espíritu es por gracia por medio de la fe, pero Dios nos quiere reciclados, transformados, de tal manera que podamos cumplir el propósito de nuestra creación. Somos salvos por gracia por medio de la fe del bote de la basura. Efesios 2:8,9: *"Porque por gracia sois salvos por medio de la fe; y esto no de vosotros, pues es don de Dios; no por obras, para que nadie se gloríe."* Es decir, somos salvos para ser recirculados (reciclados) o remodelados, reciclados o transformados. Efesios 2:10: *"Porque somos hechura suya, creados en Cristo Jesús para buenas obras, las cuales Dios preparó de antemano para que anduviésemos en ellas."*

El propósito por el cual fuimos salvos del bote de la basura es para ser recirculado (reciclado)s (reciclados), en otras palabras, hechos "de nuevo." Entendamos bien, si todo lo que Dios hace es salvarnos del bote de la basura, Él está ya complacido. Dios no quiere que vayamos al infierno. Él quiere que seamos salvos del pecado y nacidos de nuevo, pero todo su deseo para con nosotros es que, una vez que somos salvos del basurero, seamos totalmente recirculado (reciclados), de tal manera que de nuevo podamos cumplir el propósito suyo de crearnos.

Por esto, el ganar almas es mucho más de lo que pensamos. Nosotros igualamos el ganar almas con el decir a alguien cómo tener su nombre escrito en el Cielo, cómo estar salvo de ir al infierno y cómo saber que va a ir al Cielo cuando muera. Esto es ganar almas, pero esto no es todo en ganar almas. Si la salvación es más que estar salvo de ir al infierno, entonces el ganar almas es más que guiar a la gente a que estén salvo de ir al Infierno.

Mateo 28:19, 20 *"Por tanto, id y haced discípulos a todas las naciones, bautizándolos en el nombre del Padre, y del Hijo, y del Espíritu Santo; enseñándoles que guarden todas las cosas que os he mandado; y he aquí yo estoy con vosotros todos los días, hasta el fin del mundo. Amén."*

Notará que, en estos versículos arriba mencionados, tenemos las dos maneras de ganar almas de las cuales hablamos antes. En primer lugar, tenemos que sacar la gente "del bote de la basura." Tenemos también que "enseñarles que guarden todas las cosas que os he mandado," lo cual significa que también nosotros debemos guiarlos a que sean "recirculado (reciclados)." Logramos esto con el Discipulado, que es el seguimiento que tenemos que darles a los salvos en la Iglesia.

Juan 15:16: *"No me elegisteis vosotros a mí, sino que yo os elegí a vosotros, y os he puesto para que vayáis y llevéis fruto, y vuestro fruto permanezca; para que todo lo que pidiereis al padre en mi nombre, él os lo dé."* Aquí se nos manda llevar fruto; es decir, salvarlo del basurero. Nuestro fruto debiera permanecer; es decir, hacer que sea recirculado (reciclado).

Santiago 5:19, 20: *"Hermanos, si alguno de entre vosotros se ha extraviado de la verdad y alguno le hace volver, sepa que el que haga volver al pecador del error de su camino, salvará de muerte un alma, y cubrirá multitud de pecados."*

Aquí habla, principalmente, acerca de recircular (reciclar). Aquí está hablando de un hermano que ha sido liberado de ir al Infierno, pero que no ha sido recirculado (reciclado) para su propósito original. Cuando le ganamos para Cristo, estamos ganando almas.

Proverbios 11:30 *"El fruto del justo es árbol de vida; y el que gana almas es sabio."* Esta escritura menciona "El que gana almas es sabio." Aquel que gana almas para salvación "del bote de la basura" es sabio. Aquel que gana almas del basurero para ser recirculadas, es aún mucho más sabio.

Daniel 12:3: *"Los entendidos resplandecerán como el resplandor del firmamento; y los que enseñan la justicia a la multitud como las estrellas a perpetua eternidad" Aquí* se nos dice que hemos de volver a los seres humanos a la justicia. Hay dos justicias. Una de ellas es la justicia de Cristo, la cual nos es imputada (colocada atribuida, adjudicada) en el nuevo nacimiento. La otra es la justicia que nosotros debemos vivir en nuestras vidas. La primera justicia tiene que ver con la salvación del bote de la basura. (Recibir a Cristo.) La segunda justicia tiene que ver con la salvación de la recirculación (reciclaje). (Discipulado.)

Salmo 142:4: *"Mira a mi diestra y observa, pues no hay quien me quiera conocer; No tengo refugio, ni hay quien cuide de mi vida."* Esto no es clamor de un ser humano el cual nunca ha sido salvo rogando para que alguien se preocupe para que su alma sea nacida de nuevo. Este es un ser humano nacido de nuevo implorando para que alguien tome cuidado de su alma, en ayudarle a ser recirculado (reciclado). Lo que él ansia es el cuidado de su alma, la cual ya es salva.

Ezequiel 34:16 *"Yo buscaré la perdida, y haré volver al redil la descarriada, vendaré la perniquebrada, y fortaleceré la débil . . .* " Este texto ilustra tanto el ganar almas, como la persona que sale por el camino con un plan de salvación y gana a alguien para Cristo, reciclando su vida (Discipulado.)

Hay algunos que nunca ganan un alma para Cristo. Ellos nunca arrancan a ninguno del bote de la basura. Ellos sienten que su llamamiento espiritual es guiarlos a ser recirculado (reciclados). Esto es sólo la mitad de su trabajo, y ellos no obedecen totalmente la Gran Comisión, o sea, el plan de Dios. Por el otro lado, hay éstos que pasan todo su tiempo arrancando personas del "bote de la basura" y nunca se preocupan de que sean recirculado (reciclados). Estos no son ganadores de almas "completos" tampoco, porque ellos están llevando a cabo tan sólo la mitad de la Gran Comisión y guiando a las personas a la salvación que es sólo una parte de lo que Dios tiene en mente en Su plan total de salvación.

Permíteme preguntarte, "¿Eres tú un ganador de almas?" Un ganador de almas es uno que hace salvación, uno que guía al pecador a que escoja a Cristo, uno que guía a un santo a que escoja la voluntad de Dios, la obra de Dios y el plan de Dios.

El ser humano perdido tiene libertad de escoger lo bueno, pero él no puede hacer lo que escoge porque está perdido. Él puede admirar la bondad, escoger el hacer el bien, pero él no hará bondad, porque hasta su justicia es como trapos de inmundicia. Isaías 64:6: "*Si bien todos nosotros somos como suciedad, y todas nuestras justicias como trapo de inmundicia; y caímos todos nosotros como la hoja, y nuestras maldades nos llevaron como viento.*" Lo único que puede hacer el ser humano perdido es escoger a Cristo. Ahora bien, ya que él ha escogido a Cristo, no tan sólo puede él escoger el hacer lo malo, sino que puede hacer lo bueno. Filipenses 4:13: "*Todo lo puedo en Cristo que me fortalece.*" Ahora, lo bueno está a su disposición, pero él necesita a un ganador de almas que lo lleve a escoger lo bueno por encima de lo malo, y ser recirculado (reciclado).

La primera parte en el ganar almas es el escoger o la elección de Cristo, para que la elección de lo bueno sea posible y esa bondad esté a su alcance.

La segunda parte del ganar almas es guiar al cristiano a escoger lo bueno que ahora puede hacer desde que ha escogido a Cristo. Antes él odiaba la penalidad de pecado; ahora odia el pecado. Él ha sido liberado del bote de la basura de la inhabilidad para hacer bien. Ahora debe ser llevado a la recirculación (reciclaje) de escoger el hacer el bien que está ahora a su alcance, porque él ha escogido a Cristo.

Esto significa que Dios no tan sólo desea que el pecador venga a Cristo; EL también desea que el cristiano llegue a ser útil (santo). Dios no quiere solamente que hablemos con aquéllos que están rumbo al infierno y les guiemos por el camino del Cielo por fe en Jesús; sino que también desea que el ganador de almas continúe su ganancia de almas por medio de guiar al cristiano a que escoja el ser recirculado (reciclado) para que pueda, de nuevo, ser usado para el propósito por el cual le hizo Dios. ¡Esto es la Salvación y Discipulado!

...

Discipular es colaborar con Dios para que el ser humano pueda ser recirculado (reciclado); es decir, facilitar que el ser humano que se ha convertido a Jesucristo regrese a su propósito original, es decir, glorificar y honrar con su vida a Dios.

Quejarse de Todo

Se cuenta la anécdota de una mujer que iba en un autobús. Durante el trayecto iba quejándose de todo. Si el chofer corría muy rápido, se quejaba; si corría muy despacio, se quejaba; si cogía los hoyos en la carretera, se quejaba; si viraba de momento, se quejaba.

Fue todo el trayecto quejándose de lo malo que tenían los demás. Todo lo que hacían los demás era malo, estaba mal. Cuando llegaron al lugar destinado, la mujer se fue a bajar del autobús, pero el chofer le dijo: "Señora, se le quedó algo en el autobús." "¿Qué se me pudo haber quedado?", preguntó la señora. El chofer contestó: "La mala impresión que ha dejado aquí."

Maneras de Celebrar el "Sabbath" (El Descanso Espiritual)

1. Enciende una vela "Sabbath."
2. Pasa parte del día en silencio.
3. Camina despacio hacia cualquier lugar cercano.
4. Reflexiona sobre una lectura inspiradora.
5. Toma una siesta sin sentirte culpable.
6. Prepara una caja que sostenga las cosas que no necesitarás durante el "tiempo sabatino": teléfono celular, las llaves, la cartera, el bolígrafo, etc.
7. Llama a alguien a quien tu amas.
8. Cuida tu cuerpo.
9. Prepara una cena sabatina, solo o con tu familia y amistades.
10. Comienza poco a poco. Toma una tarde "sábado," o una hora "sábado" o una media hora "sábado."

Tomado de: Wayne Muller, *"Sabbath: Restoring the Sacred Rhythm of Rest"* Random House, Inc. Editado por Juan G. Feliciano.

Dos Misioneros que Regresan

Esta es la anécdota de los dos misioneros que regresaban después de 50 años en el campo misionero. Cuando se acercaba el barco que los traía al muelle ellos estaban en la baranda mirando el hermoso paisaje de su tierra. Según se fue acercando el barco, lograron observar que había una multitud en el muelle; había una banda musical; había muchas personas con la bandera nacional y con banderines de muchos colores. Había una tarima preparada con micrófonos y bocinas. Se imaginaron que los habían venido a recibir a ellos. Cuando se acercaban aún más al muelle, se comenzó a escuchar la música de la banda municipal. Los dos ancianitos misioneros se miraron muy emocionados, pero de momento, en el piso de la parte inferior del barco, pudieron observar que había mucho movimiento. Pronto se percataron que había muchas personalidades vestidas de ropa formal y una de las personas vestía ropas "púrpuras." Era un embajador de un país al cual le daban la bienvenida. Entonces la ancianita misionera le echó el brazo a su amado y le dijo: "No te preocupes, viejo, no hemos llegado a nuestro hogar todavía; cuando lleguemos allí habrá Fiesta y Banquete."

El fin de la historia de cada uno de nosotros será el triunfo del Reino de Dios. Entonces será que comprenderemos cuánto nos ama el Señor. No esperes a que sea muy tarde, acércate a Dios hoy, que Él te quiere bendecir. En Jesucristo es que encontramos el sentido de la vida. Él es el fin de nuestra búsqueda. Él nos muestra el propósito de Su

Amor: que seamos una familia, desde aquí hasta la eternidad con Dios. Hoy te invito a dar el salto por tu vida. Te invito a decir: "Cristo, Tu eres el camino para mí." Mediante Jesucristo llegamos a conocer a Dios. Un Dios personal al cual podemos amar sin medidas, sin límites. Nadie te ama como Jesús, nadie.

...

Cuando llegues, habrá fiesta y banquete.

Sobre

la Obediencia

La Carta del Misionero a Un Discípulo

Se cuenta de un misionero, ya avanzado en edad, que le escribió a uno de sus discípulos más avezados: "Por supuesto, la religión cristiana hace que nuestra vida sea mucho mejor, pero solo cuando uno está contento con lo que tiene. Porque cuando nacimos no trajimos nada al mundo, y al morir tampoco podremos llevarnos nada. Así que debemos estar contentos si tenemos comida y ropa. Pero los que solo piensan en ser ricos caen en las trampas del mundo. Son tentados a hacer cosas tontas y perjudiciales, que terminan por destruirlos totalmente.

Porque todos los males comienzan cuando solo se piensa en el dinero. Por el deseo de amontonarlo, muchos se olvidaron de obedecer a Dios, y acabaron por tener muchos problemas y sufrimientos. Pero tú, hijo {Timoteo,} estás al servicio de Dios. Por eso, aléjate de todo lo malo. Trata siempre de obedecer a Dios y de ser un buen discípulo de Jesucristo.

No dejes de confiar en él, y ama a todos los hermanos de la iglesia. Cuando enfrentes dificultades, ten paciencia y sé amable con los demás. Imita al deportista que se esfuerza por ganar la competencia: haz todo lo posible por ser un buen discípulo de Jesucristo, y recibirás el premio de la vida eterna.

Dios te llamó y te prometió esa vida cuando delante de mucha gente anunciaste que habías confiado en ÉL. Delante de Dios, que creó todo lo que existe, y delante de Jesucristo, que ante Pilatos dio buen testimonio de su confianza en Dios, te pido que obedezcas todo lo que te ordeno, para que nadie pueda acusarte de nada. Haz esto hasta que vuelva nuestro Señor Jesucristo, quien vendrá en el momento oportuno, cuando nuestro maravilloso Dios así lo quiera. Porque Dios es el único que gobierna sobre todos; Dios es el más grande de los reyes y el más poderoso de los gobernantes.

Dios es el único que vive para siempre, y vive en una luz tan brillante que nadie puede acercarse a él. Nadie lo ha visto ni puede verlo. ¡El honor y el poder son de él para siempre! Amén. Adviérteles a los ricos de este mundo que no sean orgullosos ni confíen en sus riquezas, porque es muy fácil perder todo lo que se tiene. Al contrario, diles que confíen en Dios, pues él es bueno y nos da todo lo que necesitamos para que lo disfrutemos.

Mándales que hagan el bien, que se hagan ricos en buenas acciones. Recuérdales que deben dar y compartir lo que tienen. Así tendrán un tesoro que en el futuro seguramente les permitirá disfrutar de la vida eterna."

(El Apóstol, San Pablo a Timoteo en su primera carta (1 Tim. 6:6-19), versión: BLS.)

La Apatía de los "Buenos"

El mundo no anda mal por la maldad de los "malos" sino por la apatía de los "buenos": *"¡No es mi problema!"*

Se cuenta la historia de un ratón, que, mirando por un agujero en la pared, ve al granjero y a su esposa abriendo un paquete. Pensó, ¿qué tipo de comida podía haber allí? Quedó aterrorizado cuando descubrió que era una trampa para ratones. Fue corriendo al patio de la granja a advertir a todos: ¡*Hay una ratonera en la casa, una ratonera en la casa!*

La gallina, que estaba cacareando y escarbando, levantó la cabeza y dijo: "Discúlpeme Sr. Ratón, yo entiendo que eso es un gran problema para usted, más no me perjudica en nada; a mí no me incomoda. *¡No es mi problema!*"

El ratón fue hasta el cordero y le dice: ¡Hay una ratonera en la casa, una ratonera en la casa! Su respuesta fue: "Discúlpeme Sr. Ratón, mas no hay nada que yo pueda hacer, solamente pedir por usted. Quédese tranquilo que será recordado en mis oraciones. *¡No es mi problema!"*

El ratón se dirigió entonces a la vaca, y la vaca le dijo:" ¿Pero acaso estoy en peligro? Pienso que no," dijo la vaca. *"¡No es mi problema!"*

Entonces el ratón volvió a la casa, preocupado y abatido, para encarar a la ratonera del granjero. Aquella noche se oyó un gran barullo, como el de una ratonera atrapando su víctima. La mujer del granjero corrió para ver lo que había atrapado. En la oscuridad, ella no vio que la ratonera atrapó la cola de una serpiente venenosa. La serpiente veloz mordió a la mujer.

El granjero la llevó inmediatamente al hospital. Ella volvió con fiebre alta. Todo el mundo sabe que, para reconfortar a alguien con fiebre, nada mejor que una nutritiva sopa. El granjero agarró su cuchillo y fue a buscar el ingrediente principal: la gallina. Como la enfermedad de la mujer continuaba, los amigos y vecinos fueron a visitarla. Para alimentarlos, el granjero mató el cordero. La mujer no mejoró y acabó muriendo. El granjero entonces vendió la vaca al matadero para cubrir los gastos del funeral....

La próxima vez que escuches que alguien tiene un problema y creas que, como no te afecta, no es tuyo, y no le prestas atención; piénsalo dos veces. No digas *"¡No es mi problema!"* Porque, el que no vive para servir, no sirve para vivir.

...

El mundo no anda mal por la maldad de los "malos", sino por la apatía de los "buenos".

La Piedra Que No Se Mueve

Un hombre dormía en su cabaña cuando de repente una luz iluminó la habitación y apareció Dios. El hombre despertó atónito e incrédulo preguntó, "¿Eres Tú, Dios?" El Señor le dijo, "Si, Yo Soy y tengo un trabajo para ti." Entonces le mostró una gran piedra frente a la cabaña. Le explicó que debía ser obediente y empujar la piedra con todas sus fuerzas todos los días de su vida.

El hombre hizo lo que el Señor le pidió, día tras día. Por muchos años, desde que salía el sol hasta el ocaso, el hombre era obediente y empujaba la fría piedra con todas sus fuerzas y ésta no se movía. Todas las noches el hombre regresaba a su cabaña muy cansado y sintiendo que todos sus esfuerzos eran en vano. Como el hombre empezó a sentirse frustrado, su mente comenzó a traerle pensamientos de derrota: *"Has estado empujando esa piedra por mucho tiempo, y no se ha movido"*.

Entonces, el hombre tuvo la impresión de que la tarea que le había sido encomendada era imposible de realizar y que él era un fracasado. Estos pensamientos incrementaron su sentimiento de frustración y desilusión: *"¿Por qué esforzarte todo el día en esta tarea imposible? Solo haz un mínimo esfuerzo y será suficiente."*

El hombre pensó en poner en práctica esto, pero, antes, decidió elevar una oración al Señor y confesarle sus sentimientos: "*Señor, he trabajado duro por mucho tiempo a tu servicio. He empleado toda mi fuerza para conseguir lo que me pediste, pero, aun así, no he podido mover la piedra ni una pulgada. ¿Qué me pasa? ¿Por qué he fracasado?*"

El Señor le respondió con gracia y compasión: *"Querido hijo, cuando te pedí que me sirvieras, tu aceptaste. Te dije que tu tarea era empujar contra la piedra con todas tus fuerzas, y lo has hecho. Nunca dije que esperaba que la movieras. Tu tarea era empujar. Ahora vienes a mí sin fuerzas a decirme que has fracasado, pero ¿en realidad fracasaste? Mírate ahora, tus brazos están fuertes y musculosos, tu espalda fuerte y bronceada, tus manos callosas por la constante presión, tus piernas se han vuelto duras. A pesar de la adversidad has crecido mucho y tus habilidades ahora son mayores que las que tuviste alguna vez. Cierto, no has movido la piedra, pero tu misión era ser obediente y empujar para ejercitar tu fe en Mí. Eso lo has conseguido. Ahora, querido amigo, yo moveré la piedra."*

...

O.B.D.C, es todo lo que se te pide.

El Hombre que Observa una Gran Puerta

Cuenta la historia que un hombre pudo observar una puerta hermosa, majestuosa que conduce a un lugar precioso, donde hay gozo, hay paz y alegría. Se percibe un olor agradable que sale por aquella puerta. Se observan paisajes divinos y manantiales de aguas frescas. Es un lugar maravilloso el que hay detrás de la puerta. Aquella gran puerta es guardada por un portero.

El hombre de nuestro cuento se dedicó a estudiar todas las diferentes estrategias y tácticas necesarias de cómo pasar el portero y entrar por la puerta. Dedicó toda una vida a estudiar cómo entrar por aquella puerta. Calculó todos los aspectos, medidas, precisiones necesarias para burlar y eludir al portero de aquella hermosa entrada.

Ya anciano, cuando sus fuerzas se habían agotado, su dinero se había acabado, sus amigos se habían ido, sus ideas se habían fatigado, sus estrategias habían fallado, decidió preguntarle al portero: *¿Por qué no me dejaste entrar por la puerta?* A lo que el portero respondió: *"Porque nunca me lo pediste, nunca te acercaste, nunca lo intentaste."*

...

Pide a Dios en oración que EL siempre contesta.

La Puerta Del Corazón

Un hombre había pintado un lindo cuadro. El día de la presentación al público, asistieron las autoridades locales, fotógrafos, periodistas, y mucha gente, pues se trataba de un famoso pintor, reconocido artista.

Llegado el momento, se tiró del paño que revelaba el cuadro. Hubo un caluroso aplauso. Era una impresionante figura de Jesús tocando suavemente la puerta de una casa. Jesús parecía vivo. Con el oído junto a la puerta, parecía querer oír si adentro de la casa alguien le respondía.

Hubo discursos y elogios. Todos admiraban aquella preciosa obra de arte. Un observador muy curioso, encontró una falla en el cuadro. La puerta no tenía cerradura. Curioso fue a preguntar al artista*: "Su puerta no tiene cerradura, ¿Cómo se hace para abrirla?" "Así es,"* respondió el pintor. *"Porque esa es la puerta del corazón del hombre. Sólo se abre por el lado de adentro".*

...

Jesús toca, ¿Abres la puerta hoy?

El Proverbio De Los Conejos

> *"...Los conejos, pueblo nada esforzado y ponen su casa en la piedra."* Proverbios 30:26
>
> *"Cualquiera, pues que me oye estas palabras, y las hace, le compararé a un hombre prudente, que edificó su casa sobre la roca."* Mateo.7:24

Los conejos son animales básicamente de matorrales que hoy, además de los lugares de muchos árboles y vegetación espesa, se les ve también en cultivos con paredes y setos espesos que les aportan toda la variedad de materia vegetal de la cual obtienen su alimento. Con todo, el conejo nunca se alejará demasiado de la espesa vegetación, ni de las pobladas paredes de piedra seca, dónde tiene sus refugios.

¡Qué ejemplo más hermoso el que la Biblia nos trae a través de la forma de vida de los conejos! Nada es más impresionante cuando la palabra de Dios dice que los conejos no son para nada esforzados, es decir que, no realizan su trabajo diario con tanto esfuerzo, sino, al contrario, sobreviven alimentándose con la vegetación que encuentran a su paso. Pero hay algo hermoso que les fue dado de lo Alto, de su Creador, el cuidado donde construyen su hogar Es generalmente entre rocas. Por instinto ellos se preocupan por tener un lugar seguro para ellos y su numerosa familia. A esto se le llama conciencia de peligro. Ellos están totalmente conscientes del peligro que les acecha, por lo tanto, saben que deben de hacer de su hogar un lugar muy seguro, y para eso escogieron nada menos que las piedras.

Esto nos hace recordar cuando el Señor Jesús dijo que: *"Cualquiera, pues que me oye estas palabras, y las hace, le compararé a un hombre prudente, que edifico su casa sobre la roca."* Mateo.7:24. Ser prudente es tener entendimiento. También tiene que ver con el dominio propio, la sabiduría práctica. La prudencia puede venir de nuestro propio corazón, o de parte de Dios, ya que el Proverbios 3:5 dice: *"Fíate del Señor de todo tu corazón, Y no te apoyes en tu propia prudencia."* Esto quiere decir que no toda prudencia humana nos lleva a tomar sabias decisiones porque la sabiduría de lo Alto es la que verdaderamente nos hace tomar las decisiones conforme al corazón de Dios. *"El que me oye, y hace,"* dice Jesús. En Isaías 17:10, dice: *"Porque te olvidaste del Dios de tu salvación, y no te acordaste de la roca de tu refugio; por tanto, sembrarás plantas hermosas, y plantarás sarmiento extraño."*

Jesús estaba instando a la prudencia, al entendimiento, a que tuviéramos conciencia de peligro. Pero no solo a eso, si no dando una promesa para premiar esa virtud que solo viene de Él. ÉL dijo que descendería lluvia, vendrían ríos, soplarían vientos, golpeando la casa, pero esta no caería porque había sido fundada sobre la roca. Es decir, sobre Él, que es la Roca eterna. Él es el fundamento que debería llevar toda, absolutamente toda, construcción, física, espiritual o moral. Deuteronomio 32:4 Dice que EL es la Roca, cuya obra es perfecta.

Isaías dice que la lluvia, los ríos, los vientos vendrán, no podemos detenerlos, ya que es necesario que sea probado todo fundamento, es decir el corazón. Dice en Isaías 43:2: *"Cuando pases por las aguas, yo estaré contigo; y si por los ríos, no te anegarán. Cuando pases por el fuego, no te quemarás, ni la llama arderá en ti."* Es ahí donde saldrá a luz lo que hay debajo de tu construcción. Es ahí donde se determinará si se puso la Roca eterna como fundamento, o sencillamente se levantó una edificación cimentada en puras emociones y fuerza humana que son semejantes a la arena del mar.

Cuando el pueblo de Israel vagó por el desierto, ahí estaba la Roca, en todo el camino ÉL estuvo con ellos. En Deuteronomio 8.5 dice: *"y él te sacó agua de la roca del pedernal..."* Y, en Salmo. 40:2 dice que: *"Y me hizo sacar del pozo de la desesperación, del lodo cenagoso; Puso mis pies sobre peña, y enderezó mis pasos."*

La Roca que es Cristo Jesús, es Eterna, te salva, te da de beber, es dulzura como la miel, aceite de la unción, te saca de la desesperación, de la inmundicia, pone tus pies en alto, endereza tu caminar, es un castillo, tu libertad del pecado, tu fortaleza, tu confianza, tu escudo el que te defiende de tus enemigos, tu fuerza, tu salvación.

Aprendamos de los conejos, *"pueblo nada esforzado y ponen su casa en la piedra."* Tú puedes luchar y esforzarte hasta el cansancio o quizás hasta la muerte. Como muchos que, a causa de su incansable y afán de trabajo, ya murieron porque se olvidaron o ignoraban que la victoria no está en cuánto te esfuerzas, sino cómo te refugias. Es decir, sobre qué estás edificando tu casa, tu morada espiritual. En Isaías 32:1 leemos que: *"He aquí que para justicia reinará un rey, y príncipes presidirán en juicio. Y será aquel varón como escondedero contra el viento, y como refugio contra el turbión; como arroyos de aguas en tierra de sequedad, como sombra de gran peñasco en tierra calurosa."*

…

Querido amigo, querida amiga: hay dos opciones: ¿O eres contado entre los prudentes, poniendo tu casa sobre la Roca Eterna, o como insensato, trabajando arduamente sin bases sólidas para tu vida? Tú decides.

Sobre El Perdón

Jesús Está En La Ventana

Había un niño que visitaba a sus abuelos en su granja. Le dieron una honda para que jugara afuera en el campo. Practicó en el campo, pero nunca pudo darle a su objetivo. Ya un poco desanimado regresó a la casa para la cena. Mientras caminaba de regreso vio el pato más querido por su abuela. Y como un impulso, le dejó ir una piedra con la honda, le pegó al pato en la cabeza y lo mató. Estaba impresionado y consternado. En un momento de pánico, escondió el pato muerto entre una pila de madera, en ese momento vio que su hermana lo estaba observando. Sally lo había visto todo, pero no dijo nada.

Después del almuerzo del siguiente día, la abuela dijo, "Sally, vamos a lavar los platos". Pero Sally dijo "Abuela, Johnny me dijo que él quería ayudarte en la cocina. Luego le susurró a él "¿Recuerdas el pato?" Así que Johnny lavó los platos. Mas tarde ese día, el Abuelo les preguntó a los niños si querían ir a pescar, y la Abuela dijo, "Lo siento, pero necesito que Sally me ayude a hacer las compras." Sally solo sonrió y dijo: "Bueno, no hay problema porque Johnny me dijo que quería ayudar.” Ella susurró nuevamente "¿Recuerdas el Pato?"
Así que Sally se fue a pescar y Johnny se quedó ayudando. Después de varios días en los cuales Johnny hacía tanto sus tareas como las de Sally, él finalmente no pudo soportarlo más. Él le confeso a su Abuela que había matado el pato. La Abuela se arrodilló, le dio un abrazo y dijo. "Corazón, yo lo sé. Sabes, yo estaba parada en la ventana y

vi todo lo que pasó. Pero, porque te amo, yo te perdono. Solo me preguntaba cuánto tiempo más permitirías que Sally te hiciera su esclavo."

Así que para este día y los que están por venir: Lo que sea haya en tu pasado, lo que sea que hayas hecho - y tu mente continúe restregándotelo en tu cara (mentiras, deudas, miedos, odios, ira, falta de perdón, amargura, etc.) lo que sea, tú necesitas saber que Jesús estaba parado en la ventana y él vio todo lo sucedido. Él ha visto tu vida completa, Él quiere que sepas que te ama y que estás perdonado, El solo se está preguntando cuánto tiempo dejarás que el pecado te haga un esclavo. Lo maravilloso de Jesús es que cuando tú pides perdón, El no solo te perdona, sino que olvida - Porque somos salvos por medio de la Gracia y Misericordia de Jesús.

...

Anda y haz la diferencia en la vida de alguien este día, y recuerda siempre: ¡Jesús está en la Ventana!

La Cinta Púrpura

Podemos dejar una huella en el corazón de los demás. Podemos dejar un testimonio de que hemos sido convertidos en mejores personas por Dios porque nos hemos arrepentido de nuestros pecados, de nuestra maldad. Podemos hacer una diferencia en la vida de los demás.

Un profesor tenía la costumbre de regalar al final del año escolar una cinta púrpura a cada uno de sus alumnos que contenía las palabras: *"Espero haber hecho la diferencia"* impresas en delicadas letras de color oro. Cuando él entregaba personalmente la cinta a cada estudiante le explicaba en qué forma específica había contribuido a que esa clase fuera mejor. Para cada joven tenía algo sincero y único que decir.

Un día se le ocurrió al profesor observar qué impacto tendría esa costumbre en la comunidad. Para eso, decidió darle a cada estudiante tres cintas en vez de una, y le dijo a cada alumno que entregaran las otras dos cintas a las personas que en su opinión habían hecho la diferencia en sus vidas. Les dijo también a los jóvenes que al entregar la cinta le dijeran a la persona por qué se la regalaban y en qué forma el elegido había hecho la diferencia en sus vidas. Después de esto los estudiantes debían reportar en la clase cómo había sido la experiencia para cada uno.

Uno de los estudiantes que tenía un trabajo en un restaurante le dio una cinta a su jefe, quien era un hombre descuidado, que difícilmente apreciaría el honor. "Yo *admiro y agradezco todo lo que usted ha hecho por mí,"* le dijo a su jefe y continuó, "*yo creo que usted es extraordinariamente creativo y además es una persona muy justa y generosa, ¿me permitiría ponerle esta cinta púrpura en su chaqueta como un símbolo de mi gratitud y mi aprecio hacia usted?"* El jefe del muchacho se sorprendió un poco, pero agradecido aceptó: "*Claro*", dijo. "*¿Por qué no*?"

"*Además,"* dijo el estudiante, "*le voy a entregar estas cintas para que usted las comparta de la misma manera con quienes hicieron la diferencia en su vida, tal como yo lo hice con usted. Esto es parte de una tarea de mi escuela*." "*Muy bien."* Le respondió el jefe.

Esa noche el jefe regresó a su casa luciendo la cinta púrpura en su chaqueta, saludó a su hijo de 14 años y le contó: "*Algo extraño me ocurrió hoy. Uno de mis empleados me regaló esta cinta. Mira lo que está escrito en ella: 'Tu hiciste la diferencia'"* decían las letras verdes. -"*Además* -continuó el padre-, *él me dio otra cinta para compartir con alguien que para mí ha hecho la diferencia, con alguien muy especial, que signifique mucho para mí. Hijo,* siguió diciendo el padre con cariño, *hoy ha sido un día muy difícil para mí, pero en el camino a casa me dije a mí mismo que si hay una persona en mi vida a quien le daría esta cinta es a ti. Yo sé que muchas veces soy duro contigo porque no te va bien en la escuela, porque tu cuarto es un caos, porque me contestas en formas desagradables, pero hijo mío...* el padre hizo una pausa, bajó la voz y puso su mano en el hombro del muchacho, *sólo quiero decirte que tú y tu mamá, hacen toda la diferencia en mi vida y me gustaría que aceptes esta cinta, como un símbolo de mi amor hacia ti. Yo sé que debería decirte con más frecuencia lo que representas en mi vida, pero te amo y mi siento muy orgulloso de ti tal y como eres, eres un muchacho maravilloso".*

Tan pronto el padre dejó de hablar, el hijo se soltó en un ataque de llanto, el padre lo abrazó en forma acogedora, mientras acariciaba la cabeza del muchacho, para tranquilizarlo. *"Perdóname hijo, ¿Hice algo mal?"* *"No, papá,"* contestó el joven, "*yo había decidido suicidarme mañana, quería matarme porque estaba seguro de que yo no te gustaba a pesar de que hacía lo posible para agradarte... pero papá, perdóname. Todo ha cambiado ahora.*"

Tú también puedes hacer la diferencia. Regresa a Casa, vuélvete a DIOS, arrepiéntete y conviértete a Él y serás una nueva persona. Crea hoy en tu vida la oportunidad para compartir diciéndole a otras personas lo que DIOS ha hecho en tu vida y cómo esto ha hecho la diferencia. Dile a los demás que Cristo ha hecho la diferencia en tu vida y que, gracias a Dios, puedes vivir una nueva vida. Sé generoso y claro, dile a los demás lo que agradeces de ellos en tu vida. Invítales a volverse a Dios.

...

¿Tienes tus cintas listas?

Los Lazos Blancos

Se cuenta la historia de un joven que creció en un hogar cristiano. Esta familia asistía a la iglesia, escuchaban La Palabra y oraban juntos. Era un hogar sano, de gente humilde y trabajadora. Allí no sobraba alimento, pero siempre había algo para el que llegaba. Allí se recibían a los amigos con las puertas abiertas.

Aquel joven creció con lo necesario, nada de lujos, ni extravagancias. Fue a la escuela hasta que se cansó y decidió comenzar a trabajar y compartir con sus amigos. (Muchos hemos hecho lo mismo.) Entre barra y barra, entre juego y juego, entre fiesta y fiesta, aquel joven se juntó con malas amistades y se metió en problemas.

Sus padres siempre le recibían y aconsejaban, pero, para aquel joven la vida de jolgorio era más importante que ninguna otra cosa. Tan fue así que un día decidió abandonar la casa de sus padres e ir a buscar experiencias en otros lugares. Como era de esperarse, lejos de su casa, de su ambiente, de la protección de su familia, aquel joven se metió en problemas, serios problemas con la ley.

Como resultado de su desviado comportamiento, terminó preso, confinado a una celda fría, en un lugar lúgubre, maloliente, sombrío. Allí conoció el temor, el miedo, el terror.... Allí recordó las palabras de sus padres, de sus pastores, los consejos de los seres que más le amaban sobre la tierra.

Estando en la cárcel, recordaba los coritos que había aprendido en la iglesia ("Cristo me Ama"; "Cuánto me Ama Jesús...Su Vida dio..."). Recordaba la voz de su madre cantándole los coritos de la iglesia. Recordaba a su padre tratando de cantar los himnos que habían aprendido en la iglesia. Entonces recordó cuánto le amaba Dios y cuán desobediente había sido.

Se sintió culpable. Se sintió como el salmista, *(32:3-4) "Mientras no confesé mi pecado, mi cuerpo iba decayendo {"se envejecieron mis huesos"} por mi gemir de todo el día, pues de día y de noche tu mano pesaba sobre mí. Como flor marchita por el calor del verano, así me sentía decaer."*

Un día, allí, en aquella celda oscura, fría, inhóspita, se arrepintió de sus pecados y decidió pedir perdón a Dios por su desobediencia. Decidió también pedirles perdón a sus padres. Les escribió varias cartas, pero nunca tuvo el valor de echarlas al correo.

Pasaron varios meses hasta que le anunciaron que sería puesto en libertad. Entonces escribió una última carta a sus padres. Ésta sí la echaría al correo, aunque dudaba si los padres vivían todavía en la misma casa, o si recibirían la carta, o si la podrían leer porque eran muy viejitos. De todos modos, lleno de valor y de fe en Dios, decidió enviarles la carta.

La carta decía así:

"Querido padres: He pecado contra Dios y contra ustedes y me arrepiento. Les pido perdón por desobedecerlos y causarles tanto dolor. He estado preso por los últimos cinco años. En unos pocos días saldré de la cárcel y deseo volver a casa con ustedes. No sé si recibirán esta carta o si la leerán, pero quiero pedirles un favor muy grande. Quiero que me perdonen. Quiero que me permitan regresar a casa. Si ustedes me perdonan y me aceptan, les pido que coloquen un lazo blanco en el árbol que está en la parte de atrás de la casa. Cuando pase en el autobús, si veo el lazo blanco, sabré que me han perdonado y me bajaré en la estación de nuestro pueblo y corriendo iré a casa. Si no veo nada, seguiré de largo y no los molestaré jamás. Su hijo, que los ama."

El hijo arrepentido dobló el papel, lo colocó en el sobre, le puso el sello y envió la carta. Pasaron varias semanas hasta que, por fin, pudo salir de la prisión. Se dirigió inmediatamente a la estación de autobuses y compró un pasaje para el viaje que lo llevaría a pasar por detrás de la casa de sus padres.

Aquel viaje sería muy distinto. Su corazón latía con mayor intensidad ante la emoción expectante. ¿Habrían recibido la carta? ¿Habrían encontrado quién se las leyese? ¿Me perdonarían? ¿Me recibirían? Todas esas preguntas revoloteaban en su mente. La trayectoria se hizo larguísima. Gracias a DIOS, encontró a quién contarle su historia.

A su lado se sentó un soldado que regresaba a su casa luego del servicio militar. Aquel hombre le escuchó con atención y paciencia. Por fin, cuando se acercaban al pueblo, el joven le pidió al soldado que mirara él a ver si veía el lazo blanco, porque estaba muy nervioso y no se atrevía. Cuando precisamente pasaban por detrás de la casa, el soldado le apretó la rodilla al joven que tenía la cabeza inclinada sobre sus piernas y le dijo: amigo mío, no veo un lazo blanco sobre el árbol, sino que el árbol está lleno de lazos blancos.

...

¿Quieres regresar a tu Casa? Allí encontrarás una Cruz llena de lazos blancos y el Señor estará esperándote con los brazos abiertos.

Sobre El Servicio

Un Gesto Amoroso

Comenzando el Siglo 21 yo fui nombrado Pastor en la costa sur de Puerto Rico. Ponce era una Ciudad Señorial, con un caudal de aportaciones a la cultura de Puerto Rico que incluía aportaciones importantes a la música, las artes, la política, la historia. Era una ciudad muy bien cuidada, con hermosos parques, museos, teatros, comunidades e importantes universidades.

En aquel entonces a los pastores metodistas se les asignaba y proveía de una residencia segura y adecuada al ser nombrados a una iglesia local. La iglesia a la cual me habían nombrado tenía la Casa Pastoral inmediatamente al lado del estacionamiento del templo. Era una casa amplia y muy bien ubicada. Centros comerciales, supermercados, parques, escuelas, universidades y carreteras importantes quedaban cerca de la casa.

Cuando se cumplió el tiempo de mudarme con parte de mi familia a Ponce, la casa pastoral no estaba lista para ser ocupada por nosotros todavía. La estaban pintando, arreglando y equipando para recibirnos.

¿Qué haremos ahora?, me pregunté a mi mismo. Yo terminaba mi estadía como Director de Planificación en el Seminario Evangélico de Puerto Rico y como Decano de la Escuela Teológica Pastoral de la Iglesia Metodista de Puerto

Rico. Llegaríamos a Ponce sin tener donde alojarnos. Pero, si Dios cuida de las aves, cuidará también de mí, pensé.

Resulta que una Pastora del área sur (Guayanilla), quien residía en Ponce con su hija y que estudiaba en la Escuela Teológica Pastoral, me ofreció su apartamento en Ponce. Era el noveno piso de un edificio en el centro de la ciudad. La Pastora tomó sus cosas personales, subió a su hija en su carro y se fue a quedar con una tía que vivía en la misma ciudad. Entonces me dijo: "Pastor, aquí se pueden quedar hasta que esté lista su casa pastoral."

¡Que gesto tan hermoso!, pensé. Allí estuvimos un par de meses hasta que la Iglesia terminó los arreglos de la casa pastoral. Aquel gestó quedó grabado en el corazón de nuestra familia para siempre. Aquella Pastora se convirtió en el "ángel guardián" de mi familia y nos ayudaría en múltiples ocasiones.

Fueron muchas las veces que aquella amistad se fundió en actos de bondad y generosidad entre las dos familias. A mí me fue concedida la bendición de oficiar la ceremonia del casamiento de la Pastora con un destacado laico de la iglesia en Guayanilla. La hija de la Pastora, quien cantaba y participaba activamente de las actividades de la Iglesia," se convirtió en una hija más de la familia pastoral.

Años después, al yo salir de Ponce para servir en Florida, aquella Pastora fue nombrada Pastora en la Iglesia, iglesia en la cual ella había crecido y servido como Ministro

Diaconal y Candidata al Ministerio Ordenado. Dios me concedió el privilegio de verla recibir sus Órdenes como Presbítera de la Iglesia Metodista de Puerto Rico.

Guardo gran admiración y cariño por la Reverenda Neida Soto Echevarría. No solo por hospedarnos, sino porque a través de los años se mantuvo cercana, servicial y cariñosa con toda mi familia. Gracias, Pastora.

Fueron muchos los gestos amorosos que recibí como Pastor en Ponce. Son incontables por ser tan numerosos. Desde el gesto de esta amada Pastora, hasta los que continué recibiendo aun después de mudarme fuera de Puerto Rico y al regresar y jubilarme del pastorado activo. No los olvido. Aunque solo serví ocho (8) años en Ponce, puedo decir que todavía continúo recibiendo distintas manifestaciones del cariño, aprecio y amor que conocí en Ponce. A todos y todas, gracias.

...

Algún día podré escribir sobre tantos gestos de amor.

Amigo Consejero

En una ocasión participé de una actividad de la denominación y conocí a una pareja de miembros de la Iglesia Metodista de Puerto Rico. Ellos me pidieron que visitara al hermano mayor del esposo quien estaba confinado en una cárcel que quedaba cerca de una iglesia donde yo pastoreaba.

Al poco tiempo hice los arreglos y me inscribí para convertirme en el "amigo consejero" del confinado. Así, conocí la razón por la cual estaba confinado. Había sido encontrado culpable de traficar con drogas. Me toco servirle, visitándolo e intercediendo en su favor. Conocí a su mamá, su hermana y sus hijas. Visité el hogar de la mamá y allí encontré algunas de sus pertenencias, adquiridas con el dinero sucio de la droga; motoras, carros, etc.

Pasó el tiempo y yo seguía visitando al confinado casi semanalmente. La cárcel quedaba en un lugar apartado y de muy hermosa vegetación y flora. Era un lugar muy guardado y vigilado, aunque las drogas entraban de todas formas. Ya los policías me conocían y me respetaban, aunque me miraban con recelo por estar sirviendo a un traficante de drogas.

Lo más triste ocurrió unos meses después; en el pueblo donde yo servía de pastor se desató una epidemia de dengue y afectó a muchas personas. Algunas personas murieron a causa de esa epidemia de dengue. Entre las personas que murieron estaba la hija mayor del confinado. Tenía 15 años, recién se había casado y estaba embarazada al momento de fallecer, víctima del dengue. Entonces me asignaron la difícil tarea de notificarle al confinado el fallecimiento de su hija.

Esta, confieso, fue la tarea más difícil que recibí durante todo mi servicio como Pastor. Cuando llegué a la cárcel, lo primero que me dijeron fue que no era "día de visitas." Pedí hablar con el comandante, jefe de la guardia penal. Me recibió con cara de pocos amigos. Le expliqué lo que pasaba y lo que me había traído allí. Me concedió 5 minutos y me asignó un cuarto de reunión que usan los abogados para reunirse con sus clientes confinados. Cuando le dije al confinado por qué estaba allí, su grito se escuchó en todo el penal y me hizo temblar de angustia, dolor y susto.

Hablé con el comandante y le permitieron asistir al hogar en donde yacían los restos de su hija por dos horas y acompañado por dos guardias. Le dieron algún medicamento fuerte para calmarlo pues en la casita en donde estaba su hija en un féretro, no decía nada, no expresaba ninguna emoción o sentimiento. Estaba "drogado", en otro mundo. Finalmente, los guardias penales lo levantaron, montaron en el vehículo oficial y se lo llevaron de regreso a la cárcel.

Seguí visitándole por algunos meses más, hasta que lo trasladaron a un programa de rehabilitación de donde se escapó y nunca supe nada mas de él.

…

Lo que hacemos tiene consecuencias.

Dios Todavía Nos Habla Hoy

Un joven había estado en el estudio bíblico del miércoles a la noche. El pastor había hablado de escuchar y obedecer la voz del Señor. El joven no pudo evitar pensar, ¿Dios habla con la gente hoy?

Después del servicio, salió con unos amigos a tomar un café y comentaron el mensaje. Varios contaron cómo Dios los había guiado en diversas oportunidades. Ya eran las 10 de la noche cuando el joven emprendió el regreso hacia su casa. Sentado en el auto comenzó a orar: "Dios, si todavía hablas con la gente... por favor háblame a mí. Yo te voy a escuchar. Voy a hacer todo lo que pueda por obedecerte."

Mientras manejaba por la calle principal de su ciudad, tuvo un pensamiento extraño: parar y comprar un litro de leche. Sacudió la cabeza y dijo en voz alta "¿Dios, eres tú?" Como no obtuvo respuesta, siguió camino hacia su casa. Pero, nuevamente el pensamiento: "compra un litro de leche."

El joven recordó como el pequeño Samuel no reconocía la voz del Señor y acudía a pedirle ayuda a Elí. "Está bien, Dios, en caso de que seas Tú, voy a comprar la leche." No parecía una prueba muy difícil de obediencia. La leche siempre es útil. Se detuvo, compró el litro de leche y siguió camino hacia su casa. Cuando estaba por pasar la calle 7, sintió de nuevo el impulso, "Dobla en esta esquina." "Esto es una locura", pensó y pasó de largo la intersección. De nuevo, tuvo la sensación de que debía haber doblado en la calle 7. Así que en la siguiente intersección dobló y volvió hacia la calle 7. Medio en broma dijo en voz alta, "O.K. Dios, así lo haré."

Anduvo por varias cuadras cuando de repente sintió que tenía que parar. Estacionó y miró a su alrededor. Estaba en una zona semi comercial de la ciudad. No era de las mejores, pero tampoco era lo peor. Los negocios estaban cerrados y la mayoría de las casas estaban oscuras, como si sus habitantes ya se hubieran ido a dormir. Otra vez sintió algo, "Anda y dale la leche a la gente de la casa de enfrente. El joven miró la casa. Estaba oscura y daba la impresión de que la gente se había ido o estaba durmiendo. Empezó a abrir la puerta y se volvió a sentar en el auto. "Dios, esto es una locura. Esa gente debe de estar durmiendo y si los despierto se van a enojar y yo voy a quedar como un estúpido."

Nuevamente sintió que debía ir y darles la leche. Finalmente, abrió la puerta del auto y dijo: "Está bien, Dios, si eres tú, voy a ir y les voy a dar la leche. Si quieres que quede como un loco, está bien. Quiero ser obediente. Supongo que eso servirá de algo, pero si no me contestan rápido, me voy."

Cruzó la calle y tocó el timbre. Se escuchaban ruidos que venían desde adentro. Un hombre gritó: "¿Quién es? ¿Qué quiere?" Y la puerta se abrió antes de que el joven pudiera salir disparado. El hombre que abrió parecía que recién se había levantado de la cama. Tenía una mirada extraña y no parecía muy contento de ver a un extraño parado en la puerta de su casa. "¿Qué quiere?" le preguntó. El joven sacó la botella de leche y dijo, "Aquí tiene, esto es para usted." El hombre tomó la leche y corrió por el pasillo hacia adentro. Luego vio pasar a una mujer llevando la leche a la cocina. El hombre la seguía cargando un bebé en brazos.

El bebé lloraba. El hombre tenía los ojos llenos de lágrimas y le dijo casi llorando: "Estábamos orando. Tuvimos que pagar muchas cuentas este mes y nos quedamos sin dinero. No teníamos leche para nuestro bebé. Le estábamos pidiendo a Dios que nos mostrara cómo conseguir leche para el bebé". La esposa desde la cocina gritó: "Le pedimos que mandara a un ángel con un poco de leche. ¿Es usted un ángel?" El joven buscó su billetera, sacó todo el dinero que tenía y lo puso en la mano del hombre. Dio media vuelta y volvió a su auto.

Las lágrimas corrían por su rostro. Se dio cuenta de que Dios todavía contesta nuestras oraciones y todavía habla hoy.

...

¿Eres tú un ángel?

Sostén y Apoyo a Pacientes con VIH-SIDA

Una de las sorpresas más gratificantes y uno de los retos más difíciles que tuve al ser nombrado Pastor en una iglesia en la zona urbana fue encontrar que en la iglesia existía un ministerio para pacientes y familiares de pacientes con SIDA (Síndrome de Inmunodeficiencia Adquirida). De hecho, era una clínica en donde se trataban directamente con pacientes VIH+ y SIDA en horas en las cuales la clínica del estado (Hospital Regional) estaba cerrada.

La Iglesia había abierto sus puertas para estas personas. Había separado unos salones para el uso de nuestra clínica. Gracias a los esfuerzos del Reverendo José Vega-Franqui, Pastor y de la hermana, Isabel Camacho-Ramírez (QEPD), Enfermera Graduada y que estando jubilada se dedicó en alma y cuerpo a este ministerio.

Este comité funcionaba como una junta de la comunidad y estaba compuesto por personas de la iglesia y de la comunidad. La iglesia había comenzado con financiamiento de la iglesia local y, eventualmente, recibía fondos del Departamento de Salud (Fondos Federales "Ryan White"). Su servicio fue tan especial que llegó a convertirse en administradora de más de medio millón de dólares ($665,000) en fondos federales y centro de administración del programa Ryan White para toda la Región que comprendía 14 pueblos.

Este Comité atendía personas en las facilidades de la iglesia. Ofrecía servicios de enfermera graduada, doctora especializada en SIDA, secretaria y personal de orientación y educación a la comunidad y quienes llevaban los casos y orientaban a las personas. Yo funcionaba como consejero espiritual voluntario y por petición de los mismos pacientes y familiares.

Fueron muchas las experiencias que viví durante mi estadía en esta Iglesia. Mi participación en este ministerio con pacientes y familiares de pacientes con SIDA fue creciendo y ampliándose a niveles que nunca sospeché.

De hecho, llegué a representar a la Iglesia Metodista de Puerto Rico en la Junta de Iglesia y Sociedad en Washington, DC por 6 años. En esta Junta me eligieron para que les representara en una organización nacional en EEUU, interreligiosa de organizaciones y ministerios de fe que trabajaban con personas con VIH+-SIDA a través de todo EEUU. Esta organización se llamaba: ANIN (AIDS National Interfaith Network). Así fue que, gracias a esto, viajaba a Washington, DC dos veces al año y también a otros lugares en EEUU.

¡A Dios sea toda la gloria!

Recuerdo un técnico de radiología que vino como paciente de VIH a la clínica de la iglesia y que fue infectado accidentalmente en su trabajo (algo que era común al inicio de la pandemia). Su condición empeoró muy rápido y pasó a la fase de SIDA. Era una persona muy amable y querida. Lo visité varias veces en el hospital y conocí a su esposa y otros familiares.

El hospital, violando todas las normas y protocolos, tenía un piso y ciertas habitaciones reservadas para pacientes con SIDA. Todavía recuerdo el número de la habitación en la cual estaba aquel paciente, #509.

En una de mis visitas pastorales llegué al cuarto 509 con mi guitarra al hombro y encontré que el paciente estaba muy enfermo. Me coloqué la guitarra en posición y comencé a cantar canciones cristianas muy conocidas y que traían paz al alma. Después de orar por el paciente, noté que tenía una figurita de la Virgen María en su pecho. Entonces le pregunté a su esposa si había algún himno preferido por él y me dijo que no sabía. Viendo que eran católicos, comencé a cantar un himno muy conocido y cantado por muchas iglesias: "Tú has venido a la orilla", también conocido como "El Pescador".

El paciente, que había estado callado y medio dormido por los medicamentos, al escucharme cantar, abrió sus ojos y sonrió. Luego la esposa me dijo que ese era su himno preferido. Días después falleció en el hospital y "en paz" como me dijo su esposa.

Otro caso muy difícil fue el de una madre con cuatro hijas quien pidió a la organización regional que agrupaba a todas las agencias, grupos y personas que laboraban a favor de las personas con SIDA que alguien fuera a visitarla. Me llamaron y yo accedí. Ella vivía en un apartamento de un residencial público con sus cuatro hijas. El esposo, quien la infectó, había muerto y ella sabía que pronto se iría ella. Su mayor preocupación era con quién dejar sus hijas. El único familiar cercano, con quien ella había dejado sus hijas en ocasiones, había violado a una de las niñas y no podría dejarlas con él.

Recuerdo que en la visita que le hice ella me dijo que no tenía nada para darle a las niñas en Navidad. Que ellas veían las luces por las ventanas y preguntaban por qué ellas no tenían nada de Navidad.

Le hablé a la iglesia y coloqué una caja grande en el Altar para recoger regalos para las niñas. Les hablé de las luces navideñas y del arbolito de Navidad. Esa misma tarde del domingo pasé a recoger un árbol de Navidad y unas luces que donaba una hermana de la iglesia. La caja se llenó de regalos.

Al otro día fui de visita al residencial cargando el árbol y las luces. Le dije a la mamá que los regalos estaban en el baúl de mi carro. Ella quería darle la sorpresa y entregarles los regalos a las niñas el mismo día de Navidad. Se puso muy contenta. Faltaban algunos días para Navidad.

Esta madre falleció la víspera de Navidad, en Nochebuena. Nunca vio los regalos. Junto a su mejor amiga, le entregamos los regalos a las niñas como su mamá quería, el día de Navidad.

Así como estos dos casos, hubo muchos más. Gente inocente, sin vicios, eran infectados con el virus VIH+, de ahí, pasaban al SIDA y fallecían muy rápido. La investigación médica, finalmente, logró unos adelantos y ahora los pacientes pueden vivir más años.

Este virus (VIH+) y la enfermedad "oportunista" (el SIDA) afectó a miles de personas a través del mundo. Muchos murieron esperando una cura. El prejuicio, desdén y rechazo de la sociedad impidieron que muchas personas recibieran un trato digno y un cuidado amoroso. Un Pastor muy amigo mío, ya fallecido, Rev. Carlos Daniel Vázquez Cruz (QEPD), en un emotivo sermón en la iglesia utilizó las letras de la enfermedad SIDA para describir un tipo de enfermedad peor: el Síndrome de la Injusticia, el Discrimen y la Apatía.

...

La iglesia debe servir a las personas necesitadas. Jesús los llamó: "los hermanitos míos".

El "Aguador"

Se cuenta que un transportador de agua ("aguador") en la India tenía dos grandes vasijas que colgaba a los extremos de un palo para poder cargarlas sobre sus hombros. Una de las vasijas tenía varias grietas, mientras la otra era perfecta y conservaba toda el agua en su interior. Cada día que el hombre recorría el camino hacia la casa de su patrón, una vasija llegaba llena, y la otra, con la mitad del agua.

Durante dos años completos esto ocurrió así, todos los días. Ciertamente que la vasija estaba muy orgullosa de sus logros, se sabía perfecta para los fines para los que había sido creada. En cambio, la pobre vasija agrietada se sentía muy avergonzada por su propia imperfección y se sentía miserable porque solamente podía hacer la mitad de lo que se suponía era su tarea.

Un día, la tinaja quebrada le habló así al aguador: "Estoy avergonzada y quiero disculparme contigo, ya que debido a mis grietas sólo puedes entregar la mitad de lo que sería mi carga y, por lo tanto, sólo obtienes la mitad del dinero que deberías percibir." El aguador le dijo compasivamente: "Cuando regresemos a la casa, quiero que notes les bellísimas flores que crecen a lo largo del camino."

Y así lo hizo la tinaja. Y, en efecto, vio muchísimas flores hermosas; pero de todas maneras se sentía apenada. Entonces el aguador le dijo: "¿Te diste cuenta de que las flores solo crecen en una acera del camino? Es en la acera por la que circulas tú, sobre mis hombros. Siempre he sabido de tus grietas y quise sacar el lado positivo de ello. Sembré semillas de flores a lo largo del camino por donde pasamos y todos los días tú las has regado... y por dos años, yo he podido recoger estas flores para decorar mi casa, la de mí madre y regalar en un hospital. Si no fueras exactamente como eres, con todos tus defectos, no hubiera sido posible crear esta belleza."

Cada uno de nosotros tiene sus propias grietas. Todos somos vasijas agrietadas, pero debemos saber que siempre existe la posibilidad de aprovechar cada grieta para obtener un resultado agradable para el Señor.

...

Somos barro en las manos del Alfarero. El nos hace a Su gusto para que sirvamos (aunque sea con grietas).

No Me Olvides

Casi no la había visto, era una señora anciana con el auto detenido en el camino. El día estaba frío, lluvioso y gris. Juan se pudo dar cuenta de que la anciana necesitaba ayuda, estacionó su Ford viejito delante del Mercedes Benz de la anciana. Cuando se acercó notó que la señora estaba mojada y tosiendo. Aunque con una sonrisa nerviosa en el rostro, se dio cuenta que la anciana estaba asustada. Nadie se había detenido a ayudarle, aunque hacía ya más de una hora que ella tuvo que detenerse en aquella transitada carretera.

Para la anciana, aquel hombre que se aproximaba no tenía muy buen aspecto, podría tratarse de un delincuente. Más no había nada que hacer ahora, estaba a su merced. Aquel hombre se veía pobre y hambriento. Juan pudo percibir cómo se sentía la señora. Su rostro reflejaba cierto temor. Así que se adelantó a tomar la iniciativa en el dialogo: *"Aquí vengo para ayudarla, señora; no se preocupe. Entre a su vehículo que estará protegida del clima. Mi nombre es Juan."*

Gracias a Dios solo se trataba de una goma vacía, pero para la anciana se trataba de una situación difícil. Juan se metió debajo del carro buscando un lugar donde poner el "gato" y en la maniobra se lastimó varias veces los nudillos. Estaba apretando las últimas tuercas, cuando la señora bajó la ventana (el cristal o vidrio del auto) y comenzó a platicar con el “Buen Samaritano.”

Le contó de dónde venía; que tan solo estaba de paso por allí, y que no sabía cómo agradecerle. Juan sonreía mientras cerraba el baúl del auto guardando las herramientas. La ancianita le preguntó a Juan cuánto le debía, pues cualquier suma sería correcta dadas las circunstancias, pues pensaba las cosas terribles que le hubiese pasado de no haber contado con la gentileza de Juan.

Juan no había pensado en dinero; esto no se trataba de ningún trabajo para él. Ayudar a alguien en necesidad era la mejor forma de pagar por las veces que a él, a su vez, lo habían ayudado cuando se encontraba en situaciones similares. Juan estaba acostumbrado a vivir así. Le dijo a la anciana que, si quería pagarle, la mejor forma de hacerlo sería que la próxima vez que viera a alguien en necesidad, y estuviera a su alcance el poder ayudarla, que lo hiciera de manera desinteresada, y que entonces..."*tan solo piense en mí y no me olvide*", agregó despidiéndose.

Juan esperó hasta que al auto se fuera; había sido un día frío, gris y depresivo, pero se sintió bien en terminarlo de esa forma. Estas eran las cosas que más satisfacción le traían. Entró en su carro y se fue.

Unos kilómetros más adelante la señora divisó una pequeña cafetería. Pensó que sería muy bueno quitarse el frío con una taza de café caliente antes de continuar el último tramo de su viaje. Se trataba de un pequeño lugar un poco deteriorado. Por fuera, había dos bombas viejas de gasolina que no se habían usado por años. Al entrar, se fijó en la escena del interior. La caja registradora se parecía a aquellas de cuerda que había usado en su juventud.

Una cortés camarera se le acercó y le extendió una toalla de papel para que se secara el cabello, mojado por la lluvia. Tenía un rostro agradable con una hermosa sonrisa. Aquel tipo de sonrisa que no se borra, aunque estuviera muchas horas de pie. La anciana notó que la camarera estaba como de ocho meses de embarazo. Sin embargo, esto no le hacía cambiar su simpática actitud. Pensó en cómo, gente que tiene tan poco, pueda ser tan generosa con los extraños. Entonces se acordó de Juan...

Luego de terminar su café caliente y su comida, le pagó a la camarera el precio de la cuenta con un billete de cien dólares. Cuando la muchacha regresó con el cambio, se dio cuenta que la señora se había ido. Pretendió alcanzarla. Al correr hacía la puerta, vio en la mesa algo escrito en una servilleta de papel al lado de 4 billetes de $100. Los ojos se le llenaron de lágrimas cuando leyó la nota: *"No me debes nada, yo estuve una vez donde tú estás. Alguien me ayudó como hoy te estoy ayudando a ti. Si quieres pagarme, esto es lo que puedes hacer: No dejes de ayudar y ser de bendición a otros como hoy lo hago contigo. Continúa dando de tu amor y no permitas que esta cadena de bendiciones se rompa. Ah, y no me olvides."*

Aunque había mesas que limpiar y azucareras que llenar, aquel día se le fue volando. Esa noche, ya en su casa, mientras la camarera entraba sigilosamente en su cama, para no despertar a su agotado esposo que debía levantarse muy temprano, pensó en lo que la anciana había hecho con ella. ¿Cómo sabría ella las necesidades que tenían ella y su esposo, los problemas económicos que estaban pasando, máxime ahora con la llegada del bebé? Era consciente de cuán preocupado estaba su esposo por todo esto. Acercándose suavemente hacia él, para no despertarlo, mientras lo besaba tiernamente, le susurró al oído: *"Juan, todo va a estar bien, te amo..."*

...

¿A quién podrás bendecir hoy? No te olvides.

Las Manos de Cristo

Se cuenta la historia de que, al finalizar la Segunda Guerra Mundial, se encontró una escultura de Jesucristo en el sótano de un almacén destruido por las bombas en Alemania. La escultura estaba llena de polvo, despintada, arruinada y . . . le faltaban las manos. Pero, a los pies de la estatua había un rótulo que decía: "Cristo no tiene manos, sino las nuestras."

Tu y yo somos los llamados a dar testimonio del amor y la gracia de Dios que Cristo ganó a precio de sangre y muerte en la Cruz. Por eso afirmamos que Cristo es nuestro Mártir de Paz.

¿Cómo te está inquietando Dios para que le hables a otros, no de religión, sino del amor y de la gracia de Dios? ¿Cómo te está inquietando Dios para que sueltes la lengua, no para hablar mal del prójimo, sino del poder de Dios para transformar vidas, situaciones, para levantar a los caídos y apaciguar guerras y conflictos en las familias?

...

Dios quiere que seamos las manos de Cristo en el mundo.

El Nuevo Policía

Esta es la anécdota un policía que recientemente se había mudado a la comunidad. Una tarde recibió la petición/orden de hacerle unos días de vacaciones a un compañero en otra ciudad vecina. El accedió. Esa mañana se reportó al Precinto Policíaco vecino. Allí le asignaron hacer rondas por las comunidades cubiertas por el Precinto.

Mientras patrullaba por una de las comunidades, el nuevo policía recibió una llamada de emergencia que convocaba a todas las patrullas a acudir a la residencia de un niño que se ahogaba porque se había tragado un botón. El policía respondió de inmediato y tomó la autopista que pensaba le llevaría más rápido a la residencia donde se encontraba el niño.

Al llegar a la que él pensaba era la salida, encontró que no estaba terminada y que lo que había era un terraplén. Se bajó de la patrulla y miró para todos lados, como buscando ayuda. De momento, vio que una máquina de remover tierra venía en dirección de él. Le pidió al chofer que avanzara y removiera la tierra para poder pasar. Así lo hizo el conductor de la máquina y rápidamente, el policía avanzó hacia el hogar del niño.

Fue el primero en llegar. Allí encontró a la madre del niño que lo esperaba en el balcón de la casa con el niño flácido, con la piel oscura por falta de oxígeno. El policía tomó al niño en sus brazos, hizo lo correspondiente y el niño expulsó el botón. A los pocos segundos, llegó la ambulancia de emergencias médicas, le dieron los primeros auxilios y lo llevaron al hospital.

Al otro día, el policía volvió a la autopista para ver si encontraba al chofer de la máquina. Llegó al mismo sitio y se bajó del vehículo y esperó. Al rato llegó el conductor de la máquina y se detuvo junto al policía. El primero en hablar fue el policía: "Vengo a darle las gracias, pues gracias a lo que usted hizo pude llegar a tiempo y salvarle la vida a un niño que se moría." El chofer de la máquina le contestó: "El que tiene que darle gracias, soy yo. El niño que usted salvó era mi hijo."

...

"Heme aquí; envíame a mí." (Isaías 6:8, RV) ¿Estás listo para responder?

¿Qué es la Humildad?

Caminaba con mi padre, cuando él se detuvo en una curva y después de un pequeño silencio me preguntó: "Además del cantar de los pajaritos, ¿escuchas alguna cosa más?" Agudicé mis oídos y algunos segundos después le respondí: "Estoy escuchando el ruido de una carreta." "Eso es", dijo mi padre. "Es una carreta vacía." "Papá, ¿Cómo sabes que es una carreta vacía si aún no la vemos?" Entonces mi padre respondió: "Es muy fácil saber cuándo una carreta está vacía, por causa del ruido. Cuanto más vacía la carreta, mayor es el ruido que hace."

Me convertí en adulto y hasta hoy, cuando veo a una persona hablando demasiado,
interrumpiendo la conversación de todos, siendo inoportuna, presumiendo de lo que tiene, sintiéndose prepotente y haciendo de menos a la gente, tengo la impresión de oír la voz de mi padre diciendo: "Cuanto más vacía la carreta, mayor es el ruido que hace".

La humildad consiste en callar nuestras virtudes y permitirle a los demás descubrirlas. Y recuerda que existen personas tan pobres que lo único que tienen es dinero. "Nadie está más vacío, que aquel que está lleno de sí mismo."

...

Seamos lluvia serena y mansa que llega profundamente a las raíces, en silencio, nutriéndolas.

Un Buen Mecánico

"Echa sobre el Señor tu carga, y él te sustentará; no dejará para siempre caído al justo." (Salmo 55:22)

Una vez iba un hombre en su automóvil por una larga y muy solitaria carretera en el campo. De pronto su auto comenzó a detenerse hasta quedar estático. El hombre bajó, lo revisó, trató de averiguar qué era lo que tenía. Pensaba que pronto podría encontrar qué era lo que tenía el auto pues hacía muchos años que lo conducía y creía conocer muy bien su funcionamiento. Sin embargo, después de mucho rato de intentar arreglarlo, se dio cuenta de que no encontraba el daño del motor.

En ese momento apareció otro auto, del cual bajó un hombre a ofrecerle ayuda. El dueño del primer auto dijo: "Mire, este es mi auto de toda la vida, lo conozco como la palma de mi mano. No creo que usted, sin ser el dueño, pueda hacer algo." El otro hombre insistió con una cierta sonrisa, hasta que finalmente el primer hombre dijo: "Bueno, haga el intento, pero no creo que pueda pues este es mi auto y no hay quién lo conozca mejor que yo."

El segundo hombre puso manos a la obra y en pocos minutos encontró el daño que tenía el auto y lo pudo arrancar. El primer hombre quedó atónito y muy asombrado preguntó: "Pero, ¿Cómo pudiste arreglar el auto si es mi auto?" El segundo hombre contestó: "Verás, mi nombre es Félix Wankel. ¡Yo inventé el motor rotativo que usa tu auto!"

¿Cuántas veces hemos dicho: Ésta es mi vida, es mi destino, ¿es mi casa? Al enfrentarnos a los problemas creemos que nadie nos puede ayudar pues "es mi vida", "nadie comprende mi problema, pues es mi problema." Pero nunca habíamos pensado en que la vida es creación de Dios, que ÉL hizo el tiempo, que te puso en esta tierra con propósito y te entregó una familia. Solo aquel que es el autor de la vida puede comprenderte y ayudarte cuando te quedes tirado en la carretera de la vida.

...

El Salmo 55:22 dice *"Echa sobre el Señor tu carga, y él te sustentará; no dejará para siempre caído al justo."* Jesucristo quiere ayudarte, él conoce tu problema, solo está esperando a que se lo compartas y aceptes Su ayuda. Ven a Su Casa, Las Puertas siempre están ABIERTAS para ti.

Cuentos Cortos

Adopción

Se cuenta que la maestra, Prof. Luna Pérez, estaba estudiando con su grupo de primer grado una lámina de una familia. En ella había varias niñas y niños y unos adultos. Una de las niñas tenía el cabello de color diferente al resto de los miembros de la familia. En la apreciación de la lámina, uno de los niños del grupo sugirió que la niña con el cabello rojo de la lámina, podría ser adoptada.

Entonces, una niña del grupo dijo: "Yo sé todo de adopciones porque soy adoptada." A lo que otro niño preguntó "¿Qué significa ser adoptado? "Significa"-dijo la niña- "que tu creces en el corazón de tu mamá en lugar de crecer en su vientre".

Pidiéndole a Dios

En un pequeño pueblo, un niño de 10 años estaba parado frente a una tienda de zapatos, descalzo, mirando a través de la ventana y temblando de frío. Una señora que caminaba por allí se acercó al niño y le preguntó: "Mi pequeño amigo, ¿Qué estás mirando con tanto interés en esa ventana?" El niño, muy cortésmente, le contestó: "Le estaba pidiendo a Dios que me diera un par de zapatos". Entonces la señora lo tomó de la mano y entraron a la tienda. Le pidió al empleado media docena de pares de calcetines para el niño. Preguntó si podía darle un recipiente con agua y una toalla.

El empleado le trajo todo lo que la señora pidió. Ella, a su vez, llevó al niño a la parte trasera de la tienda, le lavó los pies y se los secó. Para entonces el empleado llegó con los calcetines. La señora le puso un par de medias al niño y le compró un par de zapatos. Juntó el resto de los calcetines y se los dio al niño. Le acarició la cabeza y le dijo: *"¡No hay duda mi pequeño amigo que te sientes más cómodo ahora!"* Cuando ella daba la vuelta para irse, el niño le agarró la mano y mirándola con lágrimas en los ojos, le preguntó: "¿Es usted la esposa de Dios?"

Solidaridad

A un famoso autor y orador se le solicitó una vez que fuera parte del jurado en un concurso. El propósito del concurso era encontrar al niño más cariñoso. El ganador fue un niño de 4 años, vecino de un anciano cuya esposa había fallecido recientemente. El niño al ver al anciano llorar en el patio de su casa, se acercó, se sentó en su rezago y comenzó a llorar. Cuando su mamá le preguntó que le había dicho el vecino, a lo que el niño le contestó. *"Nada, sólo le ayudé a llorar."*

La Pequeña Actriz

Esta es la historia de una niña que amaba el teatro. Le gustaba leer y actuar lo que leía. Ella acomodaba sus juguetes como si fuera una audiencia y actuaba frente a ellos. Era uno de sus pasatiempos favoritos.

Resulta que en su escuela anunciaron que montarían una obra de teatro. Entonces le contó a su mamá que le encantaría participar en esa obra y que intentaría conseguir una parte en la obra. Su mamá contaba que la niña había puesto su corazón en ello y ella temía que no fuera elegida pues la niña tenía algunas dificultades para hablar.

El día en que las partes de la obra iban a ser repartidas, la mamá de la niña estaba en la escuela. De pronto se abrió la puerta del salón en donde esperaba la mamá y era la niña quien había salido corriendo y con los ojos brillantes, con orgullo y emoción, le dijo a su mamá. "Adivina qué mamá" gritó y luego dijo las palabras que permanecerán como una lección para todos: "He sido elegida para aplaudir y animar".

¿Por Qué Jesús nos Compara con Ovejas?

Alguien dijo que la razón por la cual Jesús nos compara con ovejas y no con leones, tigres, y/o otros animales fuertes, es que la oveja es el único animal que necesita al Pastor para sobrevivir. Los leones, tigres, etcétera pueden defenderse y sobrevivir solos. Las ovejas necesitan del cuidado del pastor para que las conduzca a pastos verdes y a aguas claras y limpias. Es por tal razón, que los discípulos de Jesús deben estar cerca del Pastor (Jesucristo) en todo tiempo.

Sobre

Funerales

Funeral en la Montaña

En este pueblo de la montaña solo existía una funeraria. Era famosa y sobresalía porque de noche servían una sopa de pollo con pan para los asistentes. En otras funerarias de Puerto Rico la costumbre era ofrecer café, galletas, queso, chocolate, etc. Pero, esta funeraria estaba localizada en un pueblo de la montaña en donde solía hacer frío de noche. De ahí, el servicio de sopa de pollo en la noche.

Solo hice, que yo recuerde, dos servicios religiosos en esta funeraria. Era acogedora y quedaba muy cerca del cementerio municipal. El cementerio era otra historia. Quedaba en una pendiente de la montaña y no había forma de llegar a las tumbas (panteones) que no fuera a pie. En la entrada había un espacio con techo para realizar el acto religioso o para decir las últimas palabras de duelo. Al llegar al cementerio me advirtieron que tendría que ser breve porque en este pueblo llovía casi todas las tardes y después era casi imposible subir para enterrar el féretro en la pendiente por desnivel del terreno.

Efectivamente, mientras hablaba alguno de los presentes, comenzó a llover y el agua de lluvia, mezclada con el barro del terreno (y sabe Dios que otras cosas), comenzó a acumularse en donde realizábamos el servicio religioso. Tanta fue la lluvia que me llegó hasta las rodillas, muy cerquita a tocar el féretro. Al finalizar el acto, se les pidió a varios hombres que ayudaran a cargar el féretro hasta el panteón. La subida no se hizo fácil pues el barro mojado hacia resbalar y hacer temblar a más de uno de los hombres que cargaban el féretro. Fue una subida tortuosa. El enterramiento se realizó inmediatamente llegamos al panteón, sin palabras mías, ni de ninguno de los familiares. Todos sabíamos que había que bajar la pendiente lo antes posible porque parecía que iba a llover de nuevo.

Don Papo, el celador solitario

Don Papo había trabajado toda su vida con la compañía de energía eléctrica. Era la persona que visitaba las conexiones de poste en poste, a través de los montes, las comunidades y zonas urbanas. En un accidente del trabajo perdió uno de sus ojos y tuvo que dejar su puesto. Antes de todo esto, había sido soldado del ejército de EEUU y recibía los beneficios de la Administración de Veteranos. Juntando ambas pensiones, podía sobrevivir cómodamente.

Don Papo era divorciado y tenía dos hijos mayores de edad. Antes de mudarse al norte de Puerto Rico, había dejado sus propiedades y repartido el dinero ahorrado entre sus hijos como herencia en vida. Cuando le conocí ya tenía sobre los 80 años de edad, poseía una casa, vivía solo y conducía una "guagüita Suzuki" que estaba chocada por todos lados pues Don Papo no veía bien.

Don Papo, muy formalmente, vino a hablar conmigo pues quería mudarse de iglesia y quería darme las razones y pedirme permiso para asistir a la nuestra. Venía de una iglesia Pentecostal y conocía la Biblia, no faltaba a ningún estudio bíblico, ni a ningún culto (aunque fuesen de noche y al aire libre).

Don Papo tenía un problema muy serio que fue denunciado por muchas hermanas de la iglesia. Don Papo se les declaraba a todas las hermanas y les ofrecía matrimonio a todas. Se sentía solo y necesitaba quien le ayudase con los quehaceres del hogar. Esto comenzó a afectarle a él y a mí como su pastor. En varias ocasiones le hablé sobre el asunto y aceptó que yo le consiguiera una "dama de hogar", es decir, una persona que trabajase medio día limpiando la casa, lavando la ropa, cocinándole almuerzo, entre otros deberes. Las primeras candidatas renunciaron el primer día de trabajo pues don Papo les ofrecía matrimonio y les decía piropos indeseados, etc.

Por poco me rindo al ver la conducta de don Papo. Yo le conducía su vehículo para llevarlo a citas médicas, a comprar alimentos y al hospital de veteranos. Ya me sentía abrumado pues don Papo creía que yo solo tenía que ayudarlo a él. Los hijos vivían lejos y no mostraban interés en ayudarle o llevárselo para sus casas.

Estando en esta situación, conseguí a una señora que hacía poco había quedado viuda y que estaba dispuesta a ayudar sin importarle la mala conducta de don Papo. Ella quería mantenerse activa y esta oportunidad le ayudaría a lograrlo. Ella fue la que más tiempo duró trabajando para don Papo.

Un día, la dama apareció bien temprano al balcón de la Casa Pastoral, llamándome: "Pastor, Pastor. Por favor, venga conmigo a la casa de don Papo; yo lo llamo en la puerta de su cuarto y no responde. Yo no me atrevo a entrar y la puerta está entreabierta." Me puse unas sandalias y la acompañé. Don Papo vivía muy cerca de la Casa Pastoral.

Al llegar, entramos a la casa y yo entré al cuarto. Don Papo estaba recostado sobre su estómago, su cabeza estaba sobre la cama y los pies en el piso. Sus pantalones estaban a nivel de las rodillas. Me acerque sin percatarme del charco de sangre en el piso. Le toqué su cabeza y lo llamé por su nombre. Al tocarlo me percaté que tenía muy fría su cabeza y, entonces, vi el charco de sangre marcado ahora por mis sandalias. Deduje que estaba muerto. Salí del cuarto, le informé a la dama de cuido que don Papo estaba muerto y llamé a la Policía. Luego, llamé al hijo mayor de don Papo para informarle de la situación.

Al llegar la Policía a la casa y ver mis pisadas sobre la sangre, me pidieron que se las entregara pues tendrían que hacer estudios para determinar si las marcas sobre la sangre eran las mías. Quedé descalzo y algo de nervioso. Luego llegaron otros policías y el fiscal del Departamento de Justicia, quien autorizaría el "levantamiento del cadáver". También me interrogó y, luego, autorizó el levantamiento del cadáver. Pensé que ahí terminaría el triste evento.

Estaba equivocado. Luego de la autorización del levantamiento del cadáver y dado que don Papo había fallecido en su casa, el cadáver tenía que ser llevado a Medicina Forense en el Centro Médico de San Juan. Esa transportación tenía que realizarla una funeraria local y solo los familiares más cercanos podían hacer esos "arreglos". Volví a llamar al hijo mayor y éste me dijo que lo hiciera yo pues él estaba muy ocupado y vivía lejos. Ni él, ni su hermano podían venir a hacer esos arreglos. Le pasé con el Fiscal quien le explicó la situación. Verbalmente y por teléfono, el hijo mayor me autorizaba a realizar estos "arreglos". El Fiscal accedió y me recomendó una Funeraria local que podía acceder a hacer estos arreglos.

Todavía faltaba unas gestiones que realizar en aquel día funesto. Comencé a llamar funerarias y ninguna aceptaba que un particular hiciese esos arreglos. Finalmente, y luego de mucho esfuerzo, logré que la última funeraria aceptara. Entonces, faltaba que viniera la funeraria a recoger el cadáver de don Papo. Allí estaba yo, solo, descalzo, y con un cadáver, esperando por la Funeraria. Pasaron varias horas de espera hasta que llegaron los empleados de la funeraria.

El recogido del cadáver fue otro martirio para mi pues tuve que ver cosas que uno no desea ver, aunque sean sobre alguien que no es familia. Don Papo no era mi familiar, pero, como Pastor, uno se encariña de las personas y más, cuando esa persona está sola, abandonada por sus hijos y anciano.

Los empleados de la Funeraria se quejaron de que don Papo había quedado en una posición difícil, pillado entre el colchón y el marco de la cama; que la sangre estaba por todo el piso; que los habían enviado a ellos dos solos y que, siendo un segundo piso, sería difícil bajarlo por la angosta escalera. Apesadumbrado, yo escuchaba todas aquellas quejas. Por fin, lo bajaron y se lo llevaron.

Aquí termina toda, pensé, mientras caminaba solo y descalzo de regreso a la Casa Pastoral. Ya era tarde en la tarde y caminaba lentamente. Lo menos que me imaginé fue que recién llegado a la Casa Pastoral, fuese a escuchar la voz de un hombre que me llamaba con voz alta. Era el hijo mayor de don Papo.

Yo había retenido las llaves de la casa y del vehículo del difunto a recomendación del Fiscal por si tenían que regresar a investigar algo. Todavía me duele en mi corazón que lo primero que me pidió el hijo mayor fueron las llaves del vehículo que se guardaba en el estacionamiento de la Iglesia. Luego me pidió las llaves de la casa de don Papo. Nunca me preguntó cómo había muerto su papa, qué arreglos había hecho, ni con cual Funeraria. Finalmente, me pidió la cartera donde don Papo guardaba sus tarjetas y documentos. De esta forma, me mostró que lo que le interesaba era lo material, lo que tendría algún valor monetario. Lloré para mis adentros. Y todavía faltaba más.

Dos días después de la muerte de don Papo me llamó el dueño de la Funeraria para decirme que todavía los hijos del difunto no habían ido a identificar el cadáver y que no le habían llamado para hacer arreglos funerarios (escoger el féretro, e l lugar de entierro, arreglos de pago, etc.) Muerto de la vergüenza, llamé de nuevo al hijo mayor y, de forma molesta, me dijo que irían cuando pudieran. Efectivamente, pasaron dos días más antes de ir a identificar a don Papo a Medicina Forense. Allí le esperaba el dueño de la Funeraria quien pudo lograr cobrar los gastos del transporte del cadáver. Posteriormente, el dueño de la Funeraria me llamó para dejarme que saber que los hijos habían contratado a otra funeraria del área sur que se encargaría del entierro.

Esa tarde, finalmente, me llamó el hijo mayor para dejarme saber que ya habían recogido a su papá y sobre los arreglos funerarios.

Alguien me enseñó que “la gratitud es la memoria del corazón”. Todavía estoy esperando que uno de los hijos me diga “Gracias”. De hecho, ya no lo espero. La lección fue dura, triste y amarga. Ya Don Papo descansa en paz.

Acompañamiento

Para cuando yo fui Pastor en la Iglesia Metodista "Juan Wesley" en Arecibo, el templo no tenía aire acondicionado. Arecibo es una ciudad en la costa norte de Puerto Rico y, a la hora de celebrar actividades en el templo, era necesario abrir todas las ventanas y puertas para tener un poco de alivio. El edificio de cemento acumulaba mucho calor durante el día y se sentía bastante caluroso por la noche.

Al quedar frente a la carretera principal, el templo quedaba expuesto y era costumbre dejar prendidas las luces del exterior como medida de seguridad. Por esta razón, las bombillas había que cambiarlas con cierta frecuencia.

Yo había notado que, a la hora de cerrar el templo, todo el mundo se iba y me quedaba yo solo para guardar el vehículo (van) de la iglesia, apagar luces, apagar equipos de sonido y cerrar, literalmente, diecinueve (19) ventanas, unas cuantas puertas, rejas y cerrar candados. También había que cotejar las cerca de 12 lámparas que iluminaban el exterior del templo. Había que abrir, sacar la bombilla y colocar la nueva. Este trabajo le tocaba al Pastor, quien notaba cuando amanecían algunas bombillas apagadas.

Cansado de estas dinámicas, le pedí ayuda a los jóvenes. Recuerdo que el presidente de los jóvenes fue el único quien junto a su novia respondieron a mi pedido inmediatamente. Ambos pasaron todo el próximo día conmigo cambiando bombillas, arreglando muebles de la Escuela Bíblica, pintando y preparando las facilidades para recibir a la Iglesia el próximo domingo. También exhortaron a los jóvenes para que me ayudaran a cerrar ventanas después de los cultos y reuniones.

Esa pareja de jóvenes se convirtió en mis ayudantes especiales. Fueron muy amables y amorosos conmigo. Les tomé mucho cariño. El presidente de los jóvenes era también hijo de uno de los líderes de la iglesia (quien también era miembro de la Policía de PR) y parte de una familia numerosa y fiel a la Iglesia.

Una noche del mes de octubre, mientras el joven regresaba a su casa sufrió un accidente de auto muy cerca de su hogar. Recuerdo que recibí una llamada del padre, pasadas las 12 de la medianoche, informándome que su hijo había tenido un accidente grave y que estaba en el hospital. Me levanté, me vestí y salí hacia el hospital inmediatamente.

Al llegar al hospital, entré por la Sala de Emergencias y observé el cuadro más desgarrador que padre alguno podría observar. Había sangre por todos lados y una herida abierta en la cabeza del joven. Después de un rato llegaron muchos miembros de la familia y como a las 5 de la madrugada se elevaba un helicóptero ambulancia que llevaría al joven herido a la Sala de Traumas del Centro Médico en San Juan. Junto al joven iba su padre. El resto de la familia iría en vehículos privados en la misma dirección.

Yo me quedé en el estacionamiento abierto del hospital observando el helicóptero que se llevaba a aquel amado hijo. Su nombre también era Juan, como mi hijo y había nacido el mismo día que mi hijo. Así que pensé en él y lloré profusamente.

Aquel joven, apodado "Gordo" (aunque era flaco), querido por todo el mundo, estuvo hospitalizado por 4 meses hasta que, finalmente, el 7 de febrero, falleció. Durante esos meses le visitábamos frecuentemente y no fueron pocas las veces que pensamos que iba a despertar de la coma y recuperar su salud. Los traumas recibidos fueron muchos y profundos y el daño fue irreparable.

Durante ese período de tiempo hicimos gestiones para trasladarlo a EEUU a recibir tratamiento, pero no fue posible. También hicimos planes para realizar un radio maratón con Raymond Arrieta y un grupo de artistas para recaudar fondos para su traslado, pero unas semanas antes de la actividad, Juan "Gordo", partió a su morada eternal.

El funeral de este amado joven fue algo impresionante. Por primera vez, la carretera principal (#129) que lleva de Arecibo a Lares, hubo que cerrarla. La cantidad de personas, Policías, miembros de las iglesias y la familia, fue extraordinaria. No puedo describir con palabras lo que sentimos durante el velatorio que se celebró en el mismo templo que Juan había cuidado tanto.

Luego de su sepelio vino la fase del juicio en contra del conductor que había impactado el vehículo de Juan en la carretera #2 y que le había causado la muerte. Según los informes de la Policía, el conductor venía a gran velocidad e impactó de frente el vehículo en donde viaja Juan. El conductor que venia del Este hacia el Oeste hizo un viraje a la izquierda (Sur) sin tener el debido cuidado del vehículo que venía de frente. Al impactar el vehículo que conducía Juan el golpe fue recibido en el lado izquierdo del conductor causándole graves heridas en el lado izquierdo de la cabeza y cuerpo de Juan.

Concurrí, junto con la familia de Juan, a todas las vistas, a la selección del jurado y al juicio que se celebró en el Tribunal de Justicia de Arecibo. Finalizado este proceso, el jurado decidió que el acusado no era culpable de los cargos imputados y el individuo regresó a su casa, a su familia. Nosotros nos quedamos llorando en el Tribunal. No podíamos creer lo que había acontecido. Fue muy difícil y triste.

Posteriormente, la Asamblea Municipal de Arecibo decidió nombrar la calle en donde vivía Juan con su mamá con su nombre: "Calle Juan A. Camacho Martínez". Estuve presente en la dedicación y colocación del rótulo de la calle. Fue un honor póstumo muy agradecido por la familia.

Mi relación con la familia de Juan todavía continúa hoy mientras escribo en medio de lágrimas este relato. Descansa en paz, Juan A. Camacho-Martínez, “Gordo”. Amén.

Cuidados Intensivos

Mientras era Pastor en Arecibo, recibí a unos hermanos, una pareja de ancianos, que regresaban a su Isla. Ambos eran muy fieles al Señor y a la Iglesia. El esposo cantaba y tocaba instrumentos de percusión. La esposa era un encanto de persona, muy colaboradora en todo. Llegué a tomarles mucho cariño.

Esta pareja vivía en un complejo de viviendas para personas de edad avanzada, muy cerca de la Iglesia. Yo les recogía en la guagua ("la van") de la Iglesia para ir a actividades en hogares, funerales, otras iglesias, etc. Eventualmente, con los ahorros de toda una vida, los esposos compraron un carro y una casa en Arecibo. Aun así, siguieron reuniéndose con nosotros en la iglesia. Ellos eran muy felices. Tenían tres hijas y muchos nietos en Nueva York y, algunos en Puerto Rico.

En la celebración del Quinceañero de una de las nietas, estuvieron presentes todas las hijas, nietos y demás familiares. Se celebró en un centro de actividades en Arecibo. Hubo comida, refrigerios, música y mucha alegría. Esta era una familia alegre, limpia, cristiana y muy unida.

Esa noche de celebración del cumpleaños de su nieta, el abuelo decidió cantarle una canción a su nieta y dedicarle su talento como regalo en sus 15 años. Mientras cantaba y era el centro de atención para todos los presentes, el abuelo colapsó producto de un mortal ataque al corazón. Fue muy triste e impactante. Murió instantáneamente.

Su funeral fue igual de impactante. El abuelo, quien gozaba de salud, lleno de vida y vigor a pesar de su avanzada edad, había muerto inesperadamente. Estuvo presente toda su familia, amistades y hermanos de la Iglesia. Había sido muy querido y amado por su familia y amistades.

Al finalizar el funeral y el entierro, como es costumbre entre algunas familias, se celebró una comida familiar en la casa de la abuela, ahora viuda. De la comida que había quedado del Quinceañero, sirvieron comida para todos los presentes. A fin de cuentas, esa comida ni se había tocado por el accidente de la muerde del abuelo. La habían guardado en la nevera. Luego de la comida, las hijas y otros familiares regresaron a los EEUU y otros pueblos de Puerto Rico para reanudar sus tareas y continuar con sus vidas.

A la única persona que no le cayó bien la comida fue a la abuela-viuda. Algún tipo de reacción causó que tuvieran que llevarle a la Sala de Emergencias Médicas en donde estuvo por 5 días. Al cabo de este tiempo fue trasladada a uno de los hospitales de Arecibo y colocada en la unidad de Cuidados Intensivos. Allí llegó en estado de coma. Sus órganos internos habían dejado de funcionar.

El médico que la atendió, al ver la situación, mandó a llamar a las tres hijas para tener una conversación con ellas. Las tres hijas regresaron a Puerto Rico y conociendo que yo era el Pastor de sus padres y que estaba muy unido a ellos, quisieron que yo estuviera presente en la consulta con el médico. Yo acepté por el amor que le había tomado a esta familia.

El médico fue muy claro y preciso. "Los órganos vitales de vuestra madre no funcionan y no tiene posibilidades de sobrevivir esta crisis. Es cuestión de tiempo. Ustedes son las hijas y son las únicas personas que pueden tomar una decisión sobre la vida de su madre. Ella está viviendo por el respirador artificial. No hay actividad cerebral y no hay nada que pueda revivirla. Mi consejo es que ustedes autoricen desconectarla de la máquina y ella pueda descansar en paz."

Las hijas lloraron, yo también. Nos miramos y las hijas me preguntaron: "¿Qué usted cree, Pastor, que debemos hacer?" Yo era el menos indicado, pero habíamos orado al Señor y estábamos delante de Su presencia. El médico había dicho que, al desconectarla, ella podría tomar entre 5 minutos o 5 horas para morir. Oramos de nuevo, pedimos dirección y nos miramos una vez más.

La hermana mayor tomó la decisión y fue apoyada por las otras dos. Yo asentí con mi mirada y mis ojos llorosos. La madre de aquellas tres mujeres que habían venido a celebrar un Quinceañero y habían enterrado a su padre hacía unos 10 días, ahora se enfrentaban a la triste realidad de tener que ver a su amada madre morir delante de ellas.

No tardó más de 2-3 minutos entre ser desconectada y morir. Fue un momento de Dios, un "Kairós" como decimos en la Iglesia. Aquel cubículo de la Unidad de Cuidados Intensivos se llenó de la misma Presencia de Dios y, aunque hubo llanto y dolor, sentimos la paz de Dios al ver que el espíritu, el ser de aquella santa mujer, se iba a su hogar eternal.

Para mí, aquel momento fue uno de esos que uno llama especial, sublime, eternal. Una bendición poder estar presente y un reto decirle "A Dios te encomiendo" (Adiós) a aquella ancianita querida. Se adelantó al encuentro con Dios. Su entierro fue un testimonio del amor de Dios y la unidad de la familia cristiana. Todo fue en paz.

Dibujo: "Jeremías" por Juan G. Feliciano-Valera, 2020

El Entusiasmo de Jeremías

Jeremías era un niño con "problemas de aprendizaje". Todo el mundo lo sabía, menos él. El siempre venía a la escuela con mucho entusiasmo, deseoso de aprender todo lo que la maestra le enseñaba. Él siempre era el primero en levantar la mano para contestar o para participar, aunque no supiera la contestación correcta. Era el que limpiaba los borradores, recogía los papeles del piso y siempre estaba listo para ayudar a su maestra.

Al acercarse la Semana Santa la maestra les pidió a los niños que el lunes después del día de la Resurrección trajesen un huevito de resurrección, de pascua, con algo que representara la resurrección de Jesús. Aquella misma tarde, la maestra, ya en su hogar, pensó en Jeremías. Ella no quería que él olvidara traer su huevito de pascua. Así que llamó a la mamá de Jeremías quien le agradeció el gesto y se comprometió a recordárselo al niño.

Llegado el lunes después de Resurrección, la maestra había colocado una canasta sobre su escritorio en donde los niños debían colocar sus huesitos de Pascua. Algunos niños trajeron sus huesitos muy decorados, pintados y de diferentes colores. Jeremías también trajo un huevito de Pascua a la clase y lo colocó en la canasta. "Buenos días, Maestra", saludó Jeremías como para enfatízate que había cumplido con la asignación.

Al comenzar la clase, la maestra fue abriendo cada uno de los huevitos que los 17 niños han traído. Al abrirlos, la maestra mostraba a los niños su contenido y explicaba el significado del reinar. Uno a uno. Uno contenía una oruga, uno contenía una mariposa, uno contenía una piedra con musgo, otro contenía un "sticker" con un arcoíris, etc. Todos eran símbolos de la resurrección.

Así la maestra había abierto 16 de los 17 huevitos en la canasta evitando abrir el de Jeremías para evitarle el mal rato al "pobre niño" que, probablemente no había entendido bien las instrucciones de la asignación. "Maestra, maestra", se escuchaba la voz de Jeremías desde el fondo del salón. "Falta el mío, abra el mío" insistía. Jeremías exigía que se abriera su huevito de Pascua. "Está bien", accedió la maestra.

Efectivamente, como lo había temido la maestra, el huevito estaba vacío. La maestra miró con pena a Jeremías, pero el niño dibujando una gran sonrisa, le contestó: "Maestra, así mismo quedó la tumba de Jesús, vacía." Todos se sorprendieron y aplaudieron a Jeremías.

A los pocos meses, Jeremías murió pues padecía de un extraño caso de cáncer en el cerebro. Cuando los familiares y amistades llegaron a la funeraria, encontraron que encima del ataúd del niño había una canasta con 17 huevitos de Pascua vacíos.

¡Fue por ti y por mí!

Funeral a Pie

Este fue un funeral distinto a todos los demás. Este funeral fue en un pueblo del sur de Puerto Rico. Resulta que el joven de la casa se privó de la vida estando en su casa. El dolor del padre por no haber escuchado nada era muy penoso. La madre estaba trabajando y, por tanto, estaba fuera de la casa. El hermano mayor trabajaba en San Juan y estaba lejos. El joven padecía de una enfermedad o condición emocional y estaba deprimido.

Los padres de este joven eran miembros de la iglesia y yo los acompañé durante la noche celebrando un acto religioso en la funeraria. Al otro día los acompañé en el funeral. Poco sabía yo que la costumbre en este pueblo era que arrastraban (empujaban) el féretro por la carretera, desde la funeraria hasta el cementerio que está unos cuantos kilómetros de distancia.

Era como una procesión religiosa. El coche fúnebre iba al frente, con las flores expuestas al Sol. Detrás iba el féretro montado sobre una especie de carruaje que era empujado por familiares y amigos. Siguiendo al carruaje iba la familia inmediata, el pastor y las amistades.

El espacio entre el coche fúnebre y el carruaje cargando el féretro era muy estrecho. Además, la hora escogida para realizar esta peregrinación y lo estrecho de la carretera provoco una gran acumulación de vehículos en dirección contraria. Todo esto provocó que la emanación de gases de los coches nos causara daño, mareos, dolores de cabeza, etc. Pero, nada podíamos hacer.

Durante esta larga procesión, caminata o peregrinación ocurrió algo que yo no había experimentado antes (ni nunca después). Sucedió que el hermano mayor, quien iba empujando el féretro junto a otras personas, comenzó a recriminarle al difunto su acción desconcertante. El hermano mayor comenzó a pegarle con el puño al féretro y a expresar en voz audible para mí que por qué había hecho aquello (refiriéndose al suicidio). Era una queja irracional para aquel momento, pensé yo.

Mientras el hermano del difunto iba rabiando en el camino, el coche fúnebre echaba aquel humo, junto a todos los autos y camiones que pasaban en dirección contraria. En general, fue una experiencia muy dolorosa porque el hermano mayor iba muy molesto y le daba puños al féretro delante de sus padres y familiares que sufrían la muerte del joven.

Por fin, luego de una larga caminata, llegamos al cementerio y realizamos el acto de despedida y enterramiento. Luego, tuve que caminar el largo camino para regresar a la funeraria en donde estaba mi coche.

Funeral en Chicago

Fue mi primer funeral (servicio religioso) como Pastor en Chicago, IL. Había muerto un adulto joven, familiar de un miembro de la iglesia. Me pidieron que fuera a realizar el servicio religioso en la funeraria del barrio. La funeraria quedaba relativamente cerca de la iglesia y la casa pastoral. En aquel barrio ocurrían balaceras y otros actos violentos con frecuencia así que no dudé en pensar que se trataba de una muerte violenta. Así pude confirmarlo al llegar a la funeraria y notar la cantidad de personas con aprensión que allí se encontraban reunidas.

Entre policías y miembros de alguna ganga, estaban los familiares de aquel joven. Todos esperaban que llegaran dos hermanas del difunto que estaban en prisión y a las cuales les habían dado permiso para asistir al funeral de su hermano. No tardaron en llegar. Estaban tatuadas por todos lados, tenían recortes distintos a las demás mujeres presentes y tenían mucho maquillaje en sus caras.

Por costumbre y contra las indicaciones más comúnmente recomendados, los féretros permanecen abiertos aún durante el servicio religioso. De esta manera, uno puede estar hablando u orando y entra cualquier persona a ver y hablar con el difunto en voz alta, sin respeto al acto religioso que allí se celebra.

Este no era distinto a los demás y allí estaba el féretro con el cadáver rígido, congelado, blancuzco (incoloro) de aquel joven. La funeraria había tenido que esperar muchos días por la aprobación del permiso a las hermanas y el cuerpo se notaba que llevaba muchos días congelado. Era impresionante. Pero más impresionante aún fue ver a las hermanas llegar y arrojarse sobre el cadáver y llenarlo a besos y a pintura de labios y de ojos. El rostro del joven quedó pintado de rojo y negro. Fue una escena grotesca, aunque reflejaba el gran amor y cariño que sentían las hermanas por su hermano fallecido.

Fue un servicio religioso breve, muy breve, pues la policía deseaba retirar a las dos reclusas antes de que se produjera algún acto violento allí. Yo también deseaba salir de allí lo antes posible, sinceramente. En este caso no tuve que acompañar a la caravana fúnebre al cementerio lo que fue un alivio para mí.

Funeral en Misericordia

Este funeral fue muy distinto al primero, aunque tuvo su propia historia. Fue el funeral del papá de una amiga profesora de la universidad. Fue en Puerto Rico.

Aunque el difunto había sido un excelente esposo, padre, ciudadano y católico activo, la manera en que había muerto había creado un impedimento para el sacerdote católico y no había quién ofreciera los servicios religiosos para aquel anciano. Cuando la profesora me llamó no dudé en decirle que sí, que iba inmediatamente. Para ese entonces yo era Pastor y enseñaba a tiempo parcial en la universidad.

Al llegar a la funeraria, encontré que el lugar estaba repleto de familiares y amistades de aquella familia doliente. El ambiente era muy triste, pero Dios me dio una Palabra de aliento para aquellas personas. Recuerdo que el servicio religioso se convirtió en una celebración de la vida de aquel buen hombre. Cambió el ambiente y pudimos llegar al cementerio y sepultarlo con honores y gratitud a Dios por su vida.

Funeral en la Montaña

En este pueblo de la montaña solo existía una funeraria. Era famosa y sobresalía porque de noche servían una sopa de pollo con pan para los asistentes. En otras funerarias de Puerto Rico la costumbre era ofrecer café, galletas, queso, chocolate, etc. Pero, esta funeraria estaba localizada en un pueblo de la montaña en donde solía hacer frío de noche. De ahí, el servicio de sopa de pollo en la noche.

Solo hice, que yo recuerde, un servicio religioso en esta funeraria. Era acogedora y quedaba muy cerca del cementerio municipal. El cementerio era otra historia. Quedaba en una pendiente de la montaña y no había forma de llegar a las tumbas (panteones) que no fuera a pie. En la entrada había un espacio con techo para realizar el acto religioso o para decir las últimas palabras de duelo. Al llegar al cementerio me advirtieron que tendría que ser breve porque en este pueblo llovía casi todas las tardes y después era casi imposible subir para enterrar el féretro en la pendiente o desnivel del terreno.

Efectivamente, mientras hablaba alguno de los presentes, comenzó a llover y el agua de lluvia, mezclada con el barro del terreno (y sabe Dios que otras cosas), comenzó a acumularse en donde realizábamos el servicio religioso. Tanta fue la lluvia que me llegó hasta las rodillas, muy cerquita a tocar el féretro. Al finalizar el acto, se les pidió a varios hombres que ayudaran a cargar el féretro hasta la tumba. La subida no se hizo fácil pues el barro mojado hacia resbalar y hacer temblar a más de uno de los hombres que cargaban el féretro. Fue una subida tortuosa. El enterramiento se realizó inmediatamente llegamos al panteón, sin mediación mía, ni de ninguno de los familiares. Todos sabíamos que había que bajar la pendiente lo antes posible porque parecía que iba a llover de nuevo.

Cementerio Pintoresco

Este era un cementerio privado ubicado en un lugar muy hermoso. Calles limpias, una capilla cerrada con aire acondicionado, flores, grama, árboles y todo muy bien organizado. Era un cementerio para personas pudientes de una ciudad grande. Uno de sus "atractivos" más impresionantes eran sus panteones en forma de "casitas" típicas de Puerto Rico. Eran "casitas" pintadas en colores brillantes, muy hermosas. Además, tenían panteones tradicionales y enterramientos en tierra, sin muchos lujos.

Realicé varios enterramientos en este cementerio. Recuerdo uno en particular por las siguientes razones: el mismo día del entierro apareció muy temprano un señor que conocía la iglesia llamándome "Pastor, Pastor" por la ventana de la casa pastoral que quedaba al lado del santuario de la iglesia. Le contesté y me pidió que, por favor, le acompañara y celebrase el servicio religioso y el funeral de su papá quien había muerto hacía unos días. Yo no los conocía, pero decidí que la necesidad y la justicia de Dios me convocaban.

Fui a la funeraria, una de las más caras de la ciudad y realicé el servicio religioso en preparación para el enterramiento en el famoso cementerio. Era la primera vez que haría un entierro allí así que intenté seguir al coche fúnebre para no perderme. Aun así, la caravana se me perdió y estuve dando vueltas por la ciudad como por 30 minutos, hasta que al fin pude encontrar el cementerio. Pensé que había llegado tarde, pues no veía carros, ni el coche fúnebre, ni a nadie en el cementerio. Para mi sorpresa, a los pocos minutos apareció el coche fúnebre seguido por los carros que habían acompañado la caravana. Luego supe que habían decidido "pasear" al difunto por las casas en donde había vivido su vida.

Para acortar la historia, hice el acto funeral y acompañé a la familia hasta el panteón en donde enterraron al anciano desconocido por mí. No puedo describir con palabras el mal rato que pasé, el calor inmenso que sentí (vestido con camisa clerical y gabán) y la vergüenza de haberme "perdido".

La Mano de Dios

Hoy algo me hizo recordar la anécdota del pastor que fue a visitar a un miembro de su iglesia al hospital local. Concluida su visita pastoral, cuando salía de la sala de convalecencia, una enfermera le dijo que su padre le esperaba en la cama #7.

Sin pensarlo dos veces, el pastor se dirigió a la cama #7 y vio que el paciente tenía extendida la mano como esperando que alguien la tomara. El pastor se sentó en la silla y tomó la mano del enfermo.

Pasaron largas horas y allí continuaba el pastor y el enfermo tomados de las manos. Al anochecer el pastor sintió que era hora de salir del hospital. Soltó la mano del paciente y al salir de la sala, la enfermera le dijo "Gracias por estar con su padre todo el día." A lo que el pastor contestó, "él no era mi padre, yo no lo conocía." Extrañada, la enfermera le preguntó, ¿"Entonces por qué estuvo todo este tiempo con él?" "Él necesitaba que alguien sostuviera su mano y ahí estuve yo", contestó el pastor.

Sobre Bodas

Las bodas en las iglesias en donde serví como Pastor se celebraban los días sábados, por lo tanto, había que dejar el templo listo para el Culto el domingo en la mañana. Como esta función de celebrar bodas recaía sobre el pastor, a la hora de finalizar las mismas le tocaba al pastor dejarlo todo preparado y limpio. Por ésta y otras razones, yo no permitía que se lanzara arroz en las bodas. También porque tendría que barrer aquel montón de arroz desperdiciado en el piso. En ocasiones, personas mayores estuvieron a punto de caerse al resbalar pisando sobre el arroz en el piso. Esto lo advertía a los novios, y según iban llegando los invitados, seguía advirtiéndoles. Esto me llevó a hacer algunas concesiones.

Boda con Mariposas

Recuerdo una boda que celebré en donde la novia quería soltar mariposas luego de la declaración del matrimonio. Según fueron llegando los familiares de los novios, los organizadores de la boda y los invitados, noté que alguien traía una jaula llena de hermosas mariposas. Comencé la ceremonia y cuando declaré la unión matrimonial de los novios, en medio de los aplausos, soltaron las mariposas que volaron buscando por dónde salir. El templo tenía aire acondicionado de manera tal que todas las ventanas estaban cerradas y las pobres mariposas no tenían por donde salir.

Luego de salir los novios, familiares e invitados, noté que todas las mariposas habían muerto y estaban por todo el templo. Tremenda labor de limpieza que me tocó.

Boda con Palomas

Esta fue una hermosa celebración. Al final de la ceremonia, todas las personas salimos a ver el espectáculo. Eran Palomas Mensajeras. Se dejaron salir de la jaula y volaron alrededor del templo, orientándose, hasta que la primera encontró la dirección hacia dónde vivían y todas siguieron volando en esa dirección juntas. Fue un acto hermoso.

Boda con Avioneta

No, no fue que celebré la ceremonia en un avión, sino que desde un avión bimotor se lanzarían muchas flores sobre los novios. Al finalizar la ceremonia, salimos todos al estacionamiento de la iglesia a esperar la llegada de la avioneta. Efectivamente, como pueden imaginarse, la avioneta no llegaba y el sol comenzaba a hacernos sufrir el calor del verano. Estuvimos esperando, los esposos en un carro convertible (sin capota), los familiares e invitados y yo, de pie esperando al famoso avión.

Casi una hora después, la avioneta voló sobre el templo de la iglesia dejando caer miles de pétalos de flores, los cuales cayeron lejos de la iglesia por el viento que hacía aquella tarde. Fue un espectáculo un poco raro y excéntrico. Me imagino que fue muy costoso también. Cuando todos se marcharon, me quedé pensando si aquel acto era: ¿La locura del amor o el amor a la locura?

Boda Mojada

Esta boda fue una experiencia totalmente distinta a todas las demás. La forma en que conocí a la familia fue especial, la petición para que oficiara la ceremonia en un Parador (tipo de hotel en la montaña), las entrevistas con los novios y el día de la boda. Todo especial, distinto, diferente, incomparable.

El día de la boda comenzó con mi viaje en carro desde Ponce, por las curvas hasta Jayuya. Fue un día lluvioso y con mucho viento. Casi al comenzar la carretera en curvas, y debido al viento, un vehículo con dos pasajeros cayó por un barranco y se detuvo el tráfico hasta que llegó la Policía y luego llegara una grúa de la Policía para rescatar el vehículo. Ambos pasajeros murieron en el accidente.

Esta parada inesperada tomó más de una hora. Seguí el viaje que era muy difícil por las curvas, la lluvia y el viento fuerte. Por fin llegué al Parador Gripiñas y con dificultad me pude bajar del carro. Estaba mojado y tenía frío. También tenía hambre. Pensando que el Parador estaba preparado para la celebración de la boda, solicité que me dieran algo de comer pues era diabético y estaba atrasada la boda por la lluvia y el viento. No quisieron darme nada. Tuve que esperar que llegara la madre de la novia para que me dieran dos pedacitos de pan.

La novia estaba excesivamente atrasada. Ya estaba el novio, los familiares e invitados listos y todavía no llegaba la novia. Indagué sobre la razón para su retraso y me explicaron. La novia ya estaba lista para salir, pero la lluvia no le permitía montarse en el vehículo que la traería al Parador. Cuando lo intentó, una fuerte lluvia le mojó y se desarregló todo el maquillaje y le mojó todo su cabello. Por tanto, tuvieron que entrar a la casa para secarla, peinarla, maquillarla y prepararla para la ceremonia.

Por fin, cuando ya estaba oscuro, llegó la novia. Rápidamente, celebré la ceremonia y, al concluir, me despedí y comencé mi viaje de regreso. Confieso que estaba preocupado porque, aunque la lluvia había cesado y el viento se había calmado, las curvas estaban ahí y ya estaba oscura, bien oscura la carretera. Gracias a Dios, pude regresar a la casa pastoral en Ponce y descansar. Pensé para mis adentros, "ésta será la única y la última boda que realizo en las montañas de Puerto Rico." No culpo a nadie, pero mi condición de diabético no me permitiría realizar este tipo de actividad. Jamás olvidaré esta boda. Tengo gran respeto y admiración por esta familia.

Boda de Novios Decoradores

Esta boda fue de dos jóvenes adultos activos en la Iglesia y eran muy buenos y responsables. Ambos eran contables y comerciantes. Tenían un negocio de flores y decoraban bodas, Quinceañeros, etc.

Llegado el día de la boda, por tradición cultural, los novios no deberían verse hasta llegado el momento de comenzar la ceremonia nupcial. No recuerdo exactamente como lo hicieron, pero entre ellos y varias amistades decoraron el templo. Quedó precioso, hermoso. El único problema fue que uno de los amigos que vino a ayudar en la decoración se llevó, sin querer, las llaves de la casa del novio a donde tenía que ir a prepararse para la ceremonia.

A la hora pautada, llegó la novia y sus acompañantes y todavía el novio estaba en la iglesia, en pantalones cortos, barbudo y sudado. Se escondía de la novia hasta que llegó el amigo con las llaves y pudo ir a prepararse. Evidentemente, la boda fue retrasada por más de una hora. Fue la única boda en la cual la novia llega primero que el novio.

Boda en el Jardín Japonés en Ponce

Creo que fue mi última boda en Ponce. Aunque estuve casi 10 años como pastor en Ponce, no conocía de la existencia de este hermoso e impresionante jardín japonés al lado de la Cruceta y la Mansión de los Serrallés en Ponce, dos iconos de la ciudad señorial.

Esta boda fue espectacular. En uno de los gazebos del Jardín, estaba colocado un atril y un espacio para los novios. La madre de la novia era un miembro de la iglesia por muchos años y era una persona muy especial para mí. Ella me conocía bien y, ella su esposo, me habían recibido en su hogar en muchas ocasiones. Ahora se casaba su única hija y se me concedía el privilegio de celebrar la ceremonia nupcial. Ya había celebrado la boda de su único hijo hacía algunos años.

No solo la decoración del Jardín, sino todos los detalles fueron realizados con mucho esmero. La cena se sirvió en los patios de la Mansión y fue una fiesta familiar. Desde la Mansión de divisa la ciudad con sus luces encendidas. Doy gracias a Dios por esta experiencia.

Boda en la Playa

Esta boda fue entre una novia puertorriqueña y un novio mexicano. Ambos vivían en los EEUU y arreglaron con sus familiares realizar la ceremonia en la playa, en un parador (Copa Marina Beach & Resort Hotel) en Guánica, al sur de Puerto Rico. Entre los arreglos que realizaron, estaba el alquilar cuartos para las dos familias y todos los invitados a la boda.
Cuando llegué a Guánica, me condujeron a una habitación en donde podría esperar hasta que los novios estuvieran listos para comenzar. En la orilla de la Playa colocaron un arco repleto de flores y hermosamente decorado. Allí se celebraría la ceremonia. Las familias y demás invitados estarían sentados en sillas colocadas sobre la arena. Todo lucía muy bonito.

Cuando llegó el momento de comenzar la ceremonia, me condujeron hasta la orilla de la playa. Allí estaba la novia vestida con su traje blanco y todo el atuendo acostumbrado. A su lado estaba la madrina que era su hermana menor. Entonces me percaté que ambas llevaban sus pies descalzos. Ellas querían sentir la arena de su país y la brisa del Mar Caribe. Entonces, le pregunté a la novia que si quería realizar la ceremonia dentro del mar, que yo estaría dispuesto a quitarme los zapatos también. Me dijo que no, que no era necesario.

Entonces hizo entrada la familia del novio. Todos muy formalmente vestidos con chaquetas de etiqueta y trajes largos. Era impresionante. Pude notar la diferencia en clase social y entender cómo se había podido alquilar casi todo el hotel para la boda. De más está decir que la ceremonia fue muy seria y formal, algo que no era común para mí. A mí me gustaba hacer la ceremonia de manera informal y más familiar e involucrar a las dos familias. No fue posible aquí y no creo que la familia del novio viera con "buenos ojos" que la novia y la madrina estaban sin zapatos.

Boda Bilingüe

Esta fue otra boda entre una novia puertorriqueña y un novio norteamericano. Ambos trabajaban en el Pentágono, en Washington, DC y trajeron a un grupo de amistades, junto a los familiares del novio. Acá, les esperaban los familiares de la novia que vivían en Puerto Rico. Todo se arregló para celebrar la ceremonia en inglés y español.

Recuerdo que fue en el mes de julio y que hacía mucho calor. Estaba solo en el templo, preparando los micrófonos (una de las amigas de la novia que había viajado también con ella, cantaría un himno en honor de la pareja), el altar y contemplando la hermosa decoración. Todo estaba listo. Puntualmente, llegaron los novios, familiares e invitados.

Todos los militares y civiles que habían venido de Washington, DC estaban sentados juntos. Algunos vestían sus galas militares y todos estaban muy felices de estar en Puerto Rico.

Comencé la ceremonia bilingüe, con mi inglés "patriota", y todo iba bien. Cuando pronunciaba algo mal, la novia me corregía y fue muy familiar y bonita la ceremonia. Antes de declarar a la pareja esposo y esposa, subió a cantar la amiga de los novios. En ese preciso momento, se fue la luz (energía) en el templo. ¡Me sentí morir! Yo solo y con la iglesia llena. Me imaginaba y podía observar las gotas de sudor que bajaban por mi rostro y el de todos los que estábamos encerrados en el templo. Las ventanas no abrían pues había aire acondicionado, cuando había energía.

Entonces me vino a visitar Dios y recordé que en el anfiteatro de la iglesia había un equipo portátil, bastante viejo, pero potente, que podría usar. Fue corriendo, busqué una extensión eléctrica, rogando que hubiera energía en el edificio educativo de la iglesia. Conecté el equipo a unas bocinas, subí corriendo, le entregué el micrófono a la persona que iba a cantar, conecté la pista con la música al viejo equipo y, gracias a Dios, pudo cantar y bendecir a los novios.

Rápidamente, tomé el micrófono, coloqué a los novios de frente y declaré el matrimonio. Bendije a la pareja y despedí a todos los presentes disculpándome por la situación en forma bilingüe.

Todos sonrieron y salieron contentos a celebrar la unión matrimonial. ¡Yo alabé al Señor con todas mis fuerzas!

Sobre el Autor

Misión de Vida

Desde pequeño pensé que sería sacerdote. Era mi misión en la vida. Era algo que daba sentido a mi vida. Fui monaguillo y lo ejercía con gran orgullo y seriedad, aunque mi conducta en la escuela no reflejaba lo mismo.

Cuando entregué mi vida a Cristo, esta misión tomó otro sentido. Entonces entendí que vivo para invitar a otras personas a conocer y seguir a Cristo. Vivo para dar a conocer las virtudes de mi Señor, Jesucristo. A ÉL me debo, a ÉL pertenezco, mi vida es toda Suya.

Desde entonces intento proclamar con mis actos Su amor y Su gracia que me alcanzaron y pueden alcanzar a los demás. No hago proselitismo religioso, solo anhelo que los demás conozcan a Cristo. Vivo con la máxima: ***¡Uno más para Cristo!***

Mientras viva y tenga aliento de vida le diré a los demás que Cristo los ama como son, pero que no los quiere dejar así, quiere que sean como Jesús.

Breve Biografía del Autor

El Doctor Juan G. Feliciano-Valera nació en San Juan, Puerto Rico. Está casado y tiene tres hijas (su hijo mayor, Juan Urayoán, falleció en 2020). Además, el autor tiene dos nietos.

Es un egresado de la Universidad de Puerto Rico en donde completó tres grados en Educación (Bachillerato en Educación Elemental, Bachillerato en Educación Comercial, 1974 y Maestría en Educación Secundaria, 1977.) También estudió en la Universidad de Harvard en donde completó otros dos grados en Educación (Maestría, 1979 y Doctorado, 1985.) Luego de dictar cátedra en Educación por doce años en la Universidad de Puerto Rico (Arecibo) y en Wisconsin (Carroll University, Waukesha), el Dr. Feliciano completó una Maestría en Divinidades en el Seminario Teológico "Garrett-Evangelical," en Evanston, Illinois (1993). Allí mismo dictó cátedra en Educación Religiosa. El Dr. Feliciano-Valera fue ordenado Presbítero de la Iglesia Metodista de Puerto Rico y desde el 1992 sirvió como Pastor de varias congregaciones metodistas en Estados Unidos y en Puerto Rico. Actualmente está jubilado del ministerio pastoral activo.

El Dr. Feliciano-Valera sirvió también como predicador itinerante y misionero voluntario en distintos países del hemisferio americano y el Caribe. También fue asesor del Instituto Teológico Hispano y ocupó la posición de Director Hispano de la Iglesia Metodista Unida en la Florida, EEUU. Allí dirigió las Oficinas Hispanas relacionadas con Excelencia Congregacional y Desarrollo de Nuevas Iglesias. Fue supervisor de 40 iglesias metodistas hispanas a través de toda la Florida.

El Dr. Feliciano-Valera ha escrito frecuentemente en la Revista *"El Intérprete"* de la Iglesia Metodista Unida; además, fue asesor editorial del Comentario Bíblico The New Interpreters' Bible Commentary publicado por Abingdon Press, Nashville, TN, en 1998. Ha publicado reflexiones para *"Disciplines"* y *"El Aposento Alto"* de la Junta del Discipulado de la Iglesia Metodista Unida. El Dr. Feliciano escribió su primer libro en el 2009: **Aprendiendo Con Jesús: *Guías para el Aprendizaje Cristiano***, publicado por Alpha Press en Orlando, FL. Este libro fue editado y se volvió a publicar en versión digital y versión impresa. También se tradujo al inglés y se publicó en versiones digital e impresa. Estas nuevas versiones se publicaron por Amazon.com.

El Dr. Feliciano-Valera sirvió como director del Centro para los Ministerios Hispanos en el Seminario Teológico "Garrett-Evangelical" y de su Escuela del Curso de Estudios (1990-94). A partir de 1995 desarrolló, diseñó y fue el primer Decano de la Escuela Teológica Pastoral (ETP) ofrecida en el Seminario Teológico de Puerto Rico, por 10 años. Representó, además, a la Iglesia Metodista de Puerto Rico en la Junta General de Iglesia y Sociedad de la Iglesia Metodista Unida (en Washington, DC) por 6 años y estuvo destacado en los ministerios de apoyo a personas afectadas por el VIH-SIDA, en Puerto Rico y los Estados Unidos. Además de dictar cátedra en la Universidad de Puerto Rico, en Carroll University, en el Seminario Teológico "Garrett-Evangelical", el Dr. Feliciano-Valera enseñó en la Universidad Interamericana de Puerto Rico (Recintos de Arecibo y Ponce). Su experiencia internacional incluye conferencias, talleres, predicaciones y enseñanza en Cuba, Colombia, Estados Unidos, Puerto Rico y la República Dominicana.

Finalmente, el Dr. Feliciano-Valera se acogió a la jubilación en diciembre de 2013 y en agosto de 2014 fue reclutado por la Junta de Síndicos de la Universidad Interamericana de Puerto Rico, en donde sirve actualmente.

Made in United States
Orlando, FL
19 February 2023

30145244R00135